CUCINA BOTANICA

Testi: Carlotta Perego
Fotografie: Carlotta Perego, tranne pp. 50, 72, 73, 97, 126, 127, 177, 180, 190, 191, 203, 212, 216, 217 (Shutterstock Images) e pp. 6, 8, 12, 47, 55 (Valentina Consonni)
Fotografie di copertina: Valentina Consonni
Make Up e Hair: Manuela Rosignoli
Illustrazioni: Shutterstock Images
Si ringrazia per la gentile collaborazione la dottoressa Silvia Goggi

Redazione Gribaudo
Via Strà, 167/F
37030 Colognola ai Colli (VR)
redazione@gribaudo.it

Responsabile di produzione: Franco Busti
Responsabile di redazione: Laura Rapelli
Redazione: Sara Sorio
Responsabile grafico, progetto e impaginazione: Meri Salvadori
Fotolito e prestampa: Federico Cavallon, Fabio Compri
Segreteria di redazione: Emanuela Costantini

FSC
www.fsc.org
MISTO
Carta
da fonti gestite in
maniera responsabile
FSC® C101934

Stampa e confezione: Grafiche Busti srl, Colognola ai Colli (VR), azienda certificata FSC®-COC con codice CQ-COC-000104

© 2020 Gribaudo - IF - Idee editoriali Feltrinelli srl
Socio Unico Giangiacomo Feltrinelli Editore srl
Via Andegari, 6 - 20121 Milano
info@gribaudo.it
www.gribaudo.it

Prima edizione: 2020 [10(M)]
Seconda edizione: 2020 [11(L)]
Terza edizione: 2020 [11(Q)]
Quarta edizione: 2020 [12(V)]
Quinta edizione: 2020 [12(Q)]
Sesta edizione: 2020 [12(Q)]
Settima edizione: 2020 [12(BX)]
Ottava edizione: 2021 [1(L)]
Nona edizione: 2021 [6(Q)] 978-88-580-2903-9

IL RAZZISMO
È UNA
BRUTTA STORIA.<
razzismobruttastoria.net

CARLOTTA PEREGO

CUCINA BOTANICA

VEGETALE, BUONA E CONSAPEVOLE

GRIBAUDO

RINGRAZIAMENTI

Questo è il primo libro che pubblico: sapere che finirà nelle vostre mani è per me un'emozione immensa. Per questo, tengo moltissimo a ringraziare tutti coloro che hanno contribuito alla sua realizzazione: in primis la community di Cucina Botanica, fatta di tantissime persone che ogni giorno interagiscono con me regalandomi spunti, consigli, idee e conversazioni, facendomi crescere continuamente.

Un grazie immenso va a Beatrice e Helio, gli angeli custodi nascosti dietro a ogni mio nuovo progetto, con tutta l'agenzia Show Reel Factory.

Un ringraziamento speciale a Silvia Goggi, amica che ammiro molto e aiuto davvero fondamentale nella stesura della prima parte di questo libro.

Grazie a Sebastiano Cossia Castiglioni, un amico prezioso. Senza i suoi incoraggiamenti, le sue critiche costruttive e i suoi consigli sempre così azzeccati, molto probabilmente Cucina Botanica non esisterebbe.

A Simone, alla mia famiglia, alle mie nonne, a Zio Massimo e ai miei amici: spettatori del retroscena, primi lettori di questo libro e fantastici assaggiatori di tutte queste ricette.

A Claudia, ad Armando e alla casa editrice Gribaudo, che ha creduto in me sin dai primi tempi e che ha permesso la realizzazione di questo libro, per me un bellissimo dono.

SOMMARIO

IL SEGRETO
di
CARLOTTA

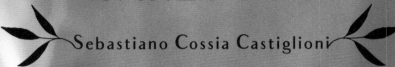

Sebastiano Cossia Castiglioni

Ho conosciuto Carlotta quando, dopo aver frequentato la scuola di Matthew Kenney a Los Angeles, divenne una degli istruttori. Non avrebbe potuto scegliere un percorso migliore e, bravissima già allora, da allieva diventò subito maestra. È un dono raro e fondamentale per chi insegna quello di saper condividere le proprie conoscenze senza far pesare lo studio, la fatica e l'esperienza che ci stanno dietro. E per lei è una dote naturale.

Carlotta ha diverse missioni nella vita. A parte la più importante, che è coccolare Fiocco (il suo adorabile cane adottivo), ha deciso di rendere facile, appetitosa e universale la cucina vegana. E di farlo senza complicazioni, senza prediche, e soprattutto – cosa più importante – con risultati deliziosi.

La cosa che continua a stupirmi dei suoi video e dei suoi piatti è che sembra tutto facile. E in un certo senso lo è, perché Carlotta è maestra nella semplificazione delle preparazioni. Cosa in sé tutt'altro che semplice, se non in apparenza. Ma il risultato finale sono ricette davvero alla portata di tutti. Entrare nella sua cucina è un po' come essere invitati a cena dalla propria migliore amica: senza formalità, a proprio agio, ci si lascia trasportare dal suo tono di voce quasi ipnotico. Ma come resistere e non provare subito a cucinare quello che ci mostra? Possibile che sia davvero così facile? Chissà che buono!

Bellissimi piatti, ma veri, senza effetti speciali. Da un lato, assomigliano alla cucina affettuosa delle nostre nonne. Sono ricette che, si capisce subito, metteranno un sorriso sulla bocca di chi avrà la fortuna di assaggiarle. La prima cosa che vuoi fare è cucinarle per quelli a cui vuoi bene, coccolarli col cibo di Carlotta. Da un altro lato, la sua cucina è modernissima, è la vera cucina del ventunesimo secolo: niente ingredienti di origine animale, che – oltre a essere completamente inutili – fanno male alla salute, fanno male all'ambiente e fanno male agli animali. Ed è ancora più moderna perché è una cucina veloce, semplice, adatta allo stile di vita di oggi. Priva di fronzoli, buona e davvero salutare, senza assolutamente mai sacrificare il gusto. Ma è anche momento di pace, di riflessione, in cui il tempo sembra fermarsi mentre le verdure cuociono in padella o in forno, o mentre assaggiamo l'hummus dei sogni.

Questo bellissimo volume si apre con tante pagine di consigli pratici fondamentali e utilissimi, che spaziano dagli ingredienti agli abbinamenti; dai consigli sulla salute (a cura della nutrizionista più brava d'Italia, Silvia Goggi) agli attrezzi di cucina; da come fare la spesa a come leggere le etichette; dalle sostituzioni alle tecniche di base. Un vero manuale per immergersi nella cucina vegetale, senza timori e senza misteri.

E poi le ricette. Da non perdere il pan brioche, l'hummus di ceci e zucchine, la pasta fresca senza uova, i fusilli al pesto di broccoli e noci, le polpette di lenticchie, i cookies al doppio cioccolato o il magico gelato al mango. Dalle variazioni sull'hummus alle paste sfiziose, dalle merende ai diversi tipi di pane, dalle insalate ai dolci, fino al suo mitico tiramisù, in questo libro Carlotta ci porta per mano attraverso le stagioni e i sapori della sua cucina, come sa fare solo lei, paziente e carina, con il suo inconfondibile sorriso. Leggendo, sembra di sentirla parlare.

Il segreto di Carlotta è che non ha segreti, è esattamente come si presenta: gentile, modesta, simpatica, spiritosa e bravissima a cucinare. Entusiasta del cibo e maestra degli aromi, dei gusti e delle consistenze. E ansiosa di condividere i piaceri della sua cucina con chi ha voglia di ascoltare, di leggere, di cucinare e di farsi trasportare in un viaggio delizioso, ricco di sorprese e di sapori indimenticabili.

BENVENUTI nel LIBRO
di *Cucina Botanica.*

Io sono Carlotta e vi guiderò in un viaggio
nel quale esploreremo gli ingredienti vegetali
e il loro utilizzo, per un'alimentazione
buona, consapevole e sostenibile.

Il mondo della cucina vegetale è visto da molti come un modo di alimentarsi sconosciuto, triste o limitato. A me piace pensare di poter diventare, un giorno, una delle persone che cambieranno questa errata percezione. Credo che i limiti apparenti di questa cucina siano, in realtà, un grande vantaggio creativo: portano infatti a spingersi più in là, a percorrere strade diverse e nuove, scoprendo sapori e abbinamenti che, in un'alimentazione tradizionale, magari non avremmo mai avuto l'opportunità di conoscere e portare in tavola. Incoraggiano a uscire dalla routine e a provare piatti (e tipi di cucina) diversi da quelli a cui siamo abituati.

Ho creato Cucina Botanica proprio per questo: finora ho dedicato quattro anni della mia vita a un progetto che possa aiutare le persone a scoprire il mondo dei vegetali in cucina, e di conseguenza a vivere in modo più sano e più rispettoso dell'ambiente che ci circonda.

In questo libro troverete consigli sull'alimentazione vegetale, sull'organizzazione della spesa e del menu settimanale, insieme a tante ricette facili e gustose, adatte a tutte le stagioni e a tutta la famiglia.

MANGIARE VEGETALE:
perché?

Molte persone decidono di passare (o di avvicinarsi) a un'alimentazione a base vegetale per varie ragioni, che possono spaziare dall'animalismo al salutismo, all'etica e a molto altro. In genere ci possono essere ragioni che hanno più peso delle altre per ciascun individuo, ma moltissimi si trovano d'accordo su tutte quante.

per gli animali

L'idea che qualcuno possa maltrattare o uccidere un cane o un gatto ci fa stare male, ma, se ci pensiamo, in tutto il mondo vengono uccisi continuamente miliardi e miliardi di animali meravigliosi e intelligenti, nati e cresciuti, però, per finire sulle nostre tavole. Molti di questi provengono da allevamenti intensivi, dove sono costretti a vivere in spazi estremamente limitati, in condizioni terribili e antigieniche.

per inquinare meno

La produzione di carne, pesce, uova e latticini è causa di una percentuale molto importante delle emissioni globali di gas serra, addirittura superiore a quella collegata alle emissioni di tutti i mezzi di trasporto messi insieme. In altre parole: l'allevamento inquina, per diversi motivi. Gli animali devono mangiare e bere tutti i giorni, per tutta la loro vita, prima di diventare bistecche: si calcola che per produrre un solo hamburger servano circa 2.500 litri d'acqua. Equivalgono a circa due mesi di docce di un essere umano! In più, gli allevamenti inquinano a causa del gas metano emesso dagli animali stessi.

per la salute

L'Organizzazione Mondiale della Sanità ha dichiarato le carni rosse e processate sostanze cancerogene al pari del fumo. Non ci sono dubbi sul fatto che il consumo di queste carni sia correlato a un maggior rischio di contrarre tumori. Inoltre, i vegetariani e i vegani sono meno soggetti a sovrappeso e obesità e hanno molte meno probabilità di sviluppare malattie cardiovascolari e diabete.

per la fame nel mondo

Purtroppo, nel mondo, qualcuno mangia carne e qualcun altro soffre la fame. Se, in un mondo immaginario, tutti gli abitanti dei Paesi ricchi optassero per un'alimentazione più vegetale, potremmo utilizzare le risorse disponibili in maniera molto più vantaggiosa per tutti. Per esempio, l'acqua e il cibo destinati all'allevamento di animali potrebbero essere destinati a chi ne ha urgente bisogno.

per il risparmio

Un'alimentazione ricca di cereali, legumi, frutta e verdura (specie se coltivati localmente e di stagione) è un enorme vantaggio per il nostro portafoglio. Carne, pesce, formaggi sono tra gli alimenti più cari presenti nei carrelli di chi li consuma. Mangiare vegetale non significa mangiare solo semi, avocado e quinoa come molti pensano, ma piuttosto nutrirsi in larga parte di prodotti locali, sani, deliziosi e, pensate un po', anche molto economici!

per conoscere il cibo

Questo tipo di cucina può sembrare a prima vista una grande limitazione, ma non lo è affatto. Fidatevi di me e sfogliate questo libro. Imparerete a conoscere cereali, frutta, verdura, legumi, semi come mai avreste immaginato. Inizierete a comprare e a cucinare verdure e ortaggi che altrimenti, forse, non sarebbero mai finiti sulla vostra tavola. A distinguere le diverse varietà dello stesso ingrediente. A conoscere la stagionalità di ogni prodotto. E questi sono tutti aspetti meravigliosi, che vi porteranno a conoscere veramente ciò che mangiate.

Sicuramente è molto più semplice di quanto si pensa! Il fatto è che quasi tutti siamo cresciuti mangiando carne, pesce, latticini o uova almeno una volta al giorno. Per questo, l'idea di alimentarci senza questi "capisaldi" ci sembra molto difficile da realizzare, quasi impossibile, sia a livello pratico che a livello di gusto. È perfettamente normale: tutti i vegani hanno detto almeno una volta la frase "non potrei mai diventare vegano".

Prima, appunto, di diventarlo. Però il passaggio è davvero molto più semplice di quanto si possa immaginare. Il trucco, come vedremo, è non immaginarci un piatto mezzo vuoto, al quale manca qualcosa che prima c'era e ora non c'è più: dobbiamo immaginare un piatto pieno di ingredienti che prima, per pigrizia o semplicemente per la nostra vecchia routine, non avremmo mai acquistato... ma che ci piaceranno moltissimo e che sono ricchi di nutrienti.

PERCHÉ ESSERE DEI "VEGANI GENTILI" È VANTAGGIOSO PER NOI E PER GLI ALTRI

Una cosa importante da tenere sempre a mente è che diventare vegani non ci renderà automaticamente delle persone migliori, né ci metterà nella posizione di poter considerare inferiore chi non ha fatto la stessa scelta. Ci vorrà molto tempo per riabilitare la reputazione dei vegani agli occhi del pubblico, con tutti gli stereotipi che si sono creati intorno a questo stile di vita.

Per far sì che ciò accada, il contributo di chi vegano lo è già, o lo vuole diventare, è estremamente importante.

Se diventerete dei vegani gentili, ovvero se imposterete un'immagine di voi positiva, rispettosa e ragionevole, sarà molto più probabile che coloro che vi circondano scelgano, un giorno, di seguire il vostro esempio, senza timore di fallire la "selezione all'ingresso". Una persona incuriosita da questo stile di vita, infatti, se verrà spaventata da un gruppo di persone esclusivo e giudicante, probabilmente tenderà a starci lontano.

Per questo, il mio consiglio è: non siate opprimenti con le persone intorno a voi. Siate anzi incoraggianti, premiate gli sforzi di chi vi circonda, piuttosto che sottolineare le loro mancanze. Non comunicate questa scelta, basata su empatia e compassione, tramite urla e scontri. Mantenete la vostra personalità e i vostri interessi, senza lasciare che il vostro io-vegano soffochi tutti gli altri lati di voi e del vostro carattere.

Ci è rimasto poco tempo prima del disastro ambientale, e miliardi di animali muoiono ogni settimana per finire nei piatti di chi ci circonda, è vero. Ma pensateci bene: c'è molto più bisogno di azione che di perfezione. Non è utile essere in pochi, tutti perfetti. Non è vantaggioso per la causa, quindi, sottolineare gli "errori" di chi si sta già sforzando di apportare modifiche al proprio stile di vita. È molto più efficace diventare tanti, ognuno con le sue imperfezioni, anche se queste magari non ci renderanno vegani con la V maiuscola. Sono i grandi numeri a cambiare il mondo, non le rare eccellenze. E come si avvicinano tante persone a un'alimentazione più vegetale? Con la gentilezza, l'educazione, la comprensione.

Se continueremo a dividere la realtà in vegani e onnivori, buoni e cattivi, bianco e nero, purtroppo non andremo molto lontano. Al contrario, più la "selezione all'ingresso" sarà tollerante e più gli attuali vegani si mostreranno inclusivi, comprensivi e indulgenti, prima raggiungeremo il nostro scopo. Tutto il mondo dovrà, per forza di cose, spostarsi in una direzione *plant-based* nel giro di uno o due decenni: lo stile di vita attuale non è sostenibile, è un dato di fatto. Possiamo decidere se farci la guerra a vicenda o se prendere i nostri amici, parenti e conoscenti per mano, mostrando loro ciò che già sappiamo con gentilezza e inclusione.

INGREDIENTI
&
nutrizione

Scritto in collaborazione con la
dottoressa Silvia Goggi.

MA QUINDI, CHE COSA MANGI?

Partiamo col dire una cosa: a causa di un utilizzo improprio da parte dei media negli ultimi anni, il termine "vegano", usato per descrivere chi mangia solo vegetale, evoca subito un'idea di privazione, di tristezza, di mancanza di qualcosa nel nostro piatto. Io, ovviamente, non sono d'accordo con questo tipo di descrizione: continuare a proporre questa alimentazione come un piatto mezzo vuoto non farà altro che allontanare le persone da uno stile di vita che invece sarebbe molto vantaggioso. Dovremmo concentrarci su ciò che effettivamente c'è in questo piatto: cereali, legumi, frutta, verdura, frutta secca e semi oleosi. Tutti gruppi alimentari che, uniti a una semplice ed economica integrazione di vitamina B$_{12}$, possono garantirci tranquillamente un'alimentazione completa. E tra questi, la varietà è veramente tanta!

Spesso, chi mangia "solo" vegetale tende a variare molto di più rispetto a chi mangia anche prodotti e derivati animali. Perché? Semplicemente perché chi fa parte del secondo gruppo è convinto di variare già abbastanza, e raramente si sforza di scoprire ingredienti e piatti nuovi.

Alimentarsi "solo" (o quasi) di vegetali è invece un trampolino di lancio verso la sperimentazione in cucina: assaggiare verdure che non avevamo mai comprato, variare tipologia di legumi, consumare frutta secca, spezie, erbe aromatiche… e molti prodotti che prima, semplicemente, non avevano mai trovato spazio nella nostra cucina.

CEREALI E DERIVATI

I cereali sono la nostra principale fonte di energia. Insieme ai loro derivati, dovrebbero essere una parte integrante della nostra alimentazione, da consumare ogni giorno, idealmente integrali e alternando spesso tra le varietà.

Quasi ogni regione o cultura del mondo, nella sua storia, si è affezionata a qualche cereale: la Cina al riso, il Sudamerica al mais, l'Italia al frumento (e in parte anche al riso, specialmente in alcune zone del Nord).

Purtroppo, questo interessarsi così tanto a un singolo cereale è poco saggio dal punto di vista nutrizionale: stiamo sì consumando dei cereali, è vero, ma non stiamo godendo di tutte le potenzialità che questo gruppo alimentare potrebbe offrirci. Alcuni cereali, per esempio, hanno una maggior concentrazione di alcuni minerali, altri sono più ricchi di proteine rispetto ai loro colleghi.

È come se consumassimo un solo tipo di verdura per quasi tutti i giorni dell'anno. Non è il massimo, non crede? Probabilmente non faremmo il pieno di tutti i benefici di cui potremmo approfittare, perché ogni tipo verdura ha le sue proprietà e i suoi punti di forza, diversi da quelli delle altre verdure.

La stessa cosa avviene con i cereali. Riso, frumento e mais, i più consumati in Italia, sono peraltro, tra tutti i cereali, quelli meno interessanti dal punto di vista nutritivo: miglio, orzo, grano saraceno, avena contengono molti più minerali, fibre e vitamine, a parità di volume e di energia apportata. Perché non alternarli di più, quindi?

Questa scoperta è un'ottima occasione per cominciare. Non lasciatevi intimorire dalle cotture prolungate, perché non ce n'è davvero motivo: in moltissimi casi ci sono in commercio delle alternative rapide da cuocere che danno ottimi risultati.

Comunque sia, anche cuocere i cereali in chicco da zero non è un dramma. Di solito impiegano meno di 40 minuti, e con un po' di organizzazione non è un lavoro impossibile, anche perché è tutta attesa! Non dobbiamo fare niente se non metterli in una pentola e poi ricordarci di scolarli. Un'idea molto pratica, che io adotto spesso, è cuocerli in quantità una volta alla settimana e, una volta pronti, surgelarli in monoporzioni pronte all'uso.

Tipi di cereali

Altro punto a favore della variazione dei cereali è che non dobbiamo pensare solo ai cereali in chicco, perché esistono anche farine, pane, pasta, grissini, cracker, cereali soffiati e in fiocchi fatti con cereali alternativi al frumento. Insomma, le possibilità sono veramente tante, basta scegliere di alternare un po'.

Se cominciamo ad acquistare prodotti che conosciamo già, come pane o pasta, ma preparati con cereali diversi, ci troveremo a integrare un'ampia varietà di cereali nella nostra dieta praticamente senza accorgercene.

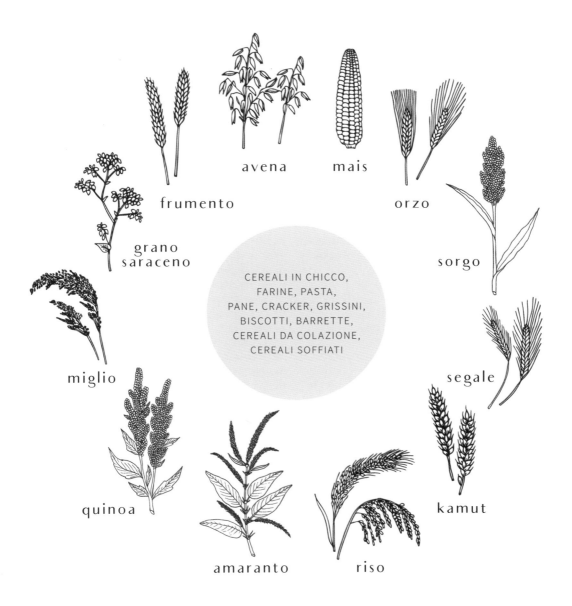

avena

mais

frumento

orzo

grano
saraceno

sorgo

CEREALI IN CHICCO,
FARINE, PASTA,
PANE, CRACKER, GRISSINI,
BISCOTTI, BARRETTE,
CEREALI DA COLAZIONE,
CEREALI SOFFIATI

segale

miglio

quinoa

kamut

amaranto

riso

È VERO CHE I CEREALI FANNO INGRASSARE PERCHÉ SONO RICCHI DI CARBOIDRATI?

Che i cereali, il pane e la pasta facciano ingrassare soltanto perché sono dei carboidrati è un grossissimo equivoco. Ciò che fa ingrassare, semmai, sono la quantità e la densità calorica di ciò che assumiamo: che si tratti di farro, di carne, di dolci o persino di condimenti per insalata, ciò che conta, alla fine della fiera, è l'apporto calorico. Non esiste un alimento "colpevole" di farci ingrassare di per sé, ed è un peccato che da anni vengano demonizzati proprio i carboidrati, che sono un alimento sul quale la nostra alimentazione si dovrebbe basare ogni giorno. Questi, infatti, oltre a essere la nostra ideale fonte principale di energia, sono anche molto sazianti (specie nella loro forma integrale, perché sono ricchi di fibre), e proprio per questo ci aiutano a non avere voglia di altri cibi molto più dannosi.

Cosa sono gli pseudocereali?

Grano saraceno, amaranto, quinoa e sorgo fanno parte della categoria degli pseudocereali. Che significa? Significa che sono spesso accomunati ai cereali, per il loro modo di impiego e di cottura, ma che in realtà non fanno parte della famiglia delle graminacee (quella, appunto, dei cereali di cui abbiamo parlato finora). Producono piccoli semi che possono essere consumati interi e da cui si possono ricavare anche farine e prodotti di vario genere, come cracker, pane, biscotti…

Sono tutti privi di glutine e ricchissimi di proprietà: contengono minerali, vitamine del gruppo B (tranne, ovviamente, la vitamina B12), vitamina E e tante proteine complete di tutti gli amminoacidi in ottime proporzioni.

Kamut, cuscus e bulgur

Kamut è il nome commerciale di una particolare varietà di grano, il *Triticum polonicum*, coltivata con metodi biologici. Il glutine che contiene è più digeribile rispetto a quello di altri cereali. Esistono comunque altre tipologie di grano con caratteristiche simili: in Italia abbiamo per esempio il Saragolla, una varietà antica di grano duro coltivata nel Meridione.

Il cuscus e il bulgur sono invece due prodotti derivati dal grano: non sono due cereali, come molti credono, ma due derivati dello stesso cereale (il grano, appunto). Il cuscus è il prodotto di una macinazione grossolana della semola di grano duro (o di altri cereali come il farro, l'orzo o addirittura le farine di legumi), mentre il bulgur si ottiene facendo germogliare il grano duro, essiccandolo e poi spezzettandolo.

LEGUMI

Se l'idea di iniziare a mangiare legumi ogni giorno vi mette tristezza, e riuscirci vi sembra qualcosa di impossibile, probabilmente è perché finora li avete considerati soltanto un triste contorno o un ingrediente per zuppe e minestre. Magari siete soliti portare in tavola soltanto piselli, forse qualche volta lenticchie o ceci. In realtà i legumi sono tantissimi, così tanti che potremmo portarli in tavola per mesi senza mai mangiare la stessa cosa. In più, la maggior parte di essi è italiana: è dalla nostra terra, infatti, che si sono originate tantissime delle specie di legumi presenti al mondo.

Molte persone non sono abituate a consumare legumi con frequenza. E con questo intendo quasi una volta al giorno: questa raccomandazione non vale solo per chi decide di iniziare a mangiare vegetale, ma per chiunque!

La piramide della dieta mediterranea ne consiglia a tutti un consumo quotidiano, mettendoli al di sotto di carne e pesce, quindi come alimento da mangiare ancor più frequentemente.

Se finora non siete stati abituati a consumarli, non c'è problema. Quasi nessuno lo è. Ma ogni momento è valido per cominciare: invece di riempire il carrello al banco della carne e del pesce, possiamo passare al reparto dei legumi e riempirlo in quantità, prima di passare al resto della spesa.

Oltre a offrire un'enorme varietà, i legumi si prestano anche a essere cucinati in tantissimi modi. In questo libro vi darò delle idee: per citarvene solo alcune, possono essere parte delle nostre insalate, diventare deliziose vellutate, essere frullati in creme come l'hummus di ceci (che è uno dei contorni più apprezzati al mondo!), diventare pesti per la pasta o per i nostri risotti, polpette, tramutarsi in crocchette o burger.

SE IN FAMIGLIA I LEGUMI NON PIACCIONO, COME INTRODURLI IN TAVOLA?

Se non siete mai stati abituati ad avere legumi in tavola, è normale che in famiglia sorga subito il primo "non mi piace" o "non lo voglio". Lo stesso varrebbe per qualsiasi altro alimento sconosciuto. Sicuramente possiamo provare a servirli inizialmente sotto forma di polpette o burger, per abituare i palati dei nostri commensali. Anche l'idea di "nascondere" un po' di farina di ceci nel pane o nella focaccia è sicuramente ottima, per i primi tempi. Con una crema come l'hummus, in cui inzuppare pane, cracker e grissini, sono certa che avrete un gran successo. Ricordatevi che l'hummus è tradizionalmente fatto coi ceci, ma può essere reinterpretato anche con altri legumi!

Per esempio, provate l'hummus di fagioli cannellini, di piselli o di edamame, quei grossi fagioli verdi che mangiate al ristorante giapponese, e che troverete sicuramente surgelati al supermercato. Una volta che il palato di tutti si sarà abituato a questi nuovi sapori, vi garantisco che il passaggio ai legumi in chicco non sarà più così difficoltoso.

ingredienti & nutrizione

Probabilmente uno dei deterrenti più diffusi, il vero motivo per cui ne consumiamo così pochi, è la cottura: quasi tutti i legumi richiedono tempi prolungati, sia di ammollo, sia in pentola. Per prepararli, è vero, ci vuole un po' di organizzazione, ma niente di impossibile: anche in questo caso si tratta principalmente di attendere, senza nessun passaggio complicato da eseguire. In più, potete cuocerne una grossa quantità e, una volta scolati, congelarli in piccole porzioni pronte all'uso.

Ma se cuocere i legumi secchi da zero non vi passa nemmeno per la testa, e l'unica alternativa che vi viene in mente è non consumarli, sappiate che ci sono molte altre possibilità.

legumi in barattolo
Un ottimo modo per aumentarne il consumo, ideale per chi non ha tempo da trascorrere in cucina. Vi basterà sciacquarli sotto l'acqua corrente per eliminare il sale con cui vengono conservati.

legumi freschi
Specialmente fave e piselli in primavera, sono ottimi crudi, nelle insalate, o cotti per appena qualche minuto in padella o in acqua bollente.

legumi surgelati
Sono un'ottima alternativa ai legumi secchi e richiedono pochi minuti di cottura.

farine di legumi
Perfette per fare pane, cracker o grissini, ma anche la famosissima farinata di ceci. E, perché no, per preparare deliziose e velocissime vellutate.

pasta di legumi
Si compra già pronta e spesso richiede meno di 5 minuti di cottura. In questo caso, non avete proprio scuse!

legumi secchi precotti
Il legume è stato cotto, il più delle volte al vapore, e poi essiccato. Perché? Perché così la cottura che dovremo fare noi sarà minima: questi prodotti sono pronti in pochi minuti.

fiocchi di legumi
Sono come i fiocchi di avena, di farro o di altri cereali, solo che in questo caso sono fatti con legumi. Perfetti da consumare a colazione, o da inserire negli impasti delle nostre torte o dei nostri biscotti.

I LEGUMI SONO RICCHI DI PROTEINE, MA ANCHE DI CARBOIDRATI. NON FINIRÒ PER ASSUMERE TROPPI CARBOIDRATI?

Non dobbiamo avere nessuna paura della quantità di carboidrati presenti nei legumi, e in generale nell'alimentazione vegetale. Troppo spesso la "carbofobia" è dovuta al timore di ingrassare, ma se è questo il vostro caso, potete stare sereni: i vegani sono mediamente le persone più magre del pianeta. Come è possibile, se mangiano tutti questi cibi ricchi di carboidrati? La risposta è semplice: cereali, legumi, frutta e verdura contengono sì carboidrati, ma sono cibi a bassa densità calorica per il loro contenuto quasi nullo di grassi. Mangiandoli ci sentiremo sazi e non avremo bisogno di aprire il barattolo di gelato alle 11 di sera, o di sfogare la nostra fame sulla fetta di torta o sulle merendine che custodiamo nel cassetto dell'ufficio. Certo, un dolce ogni tanto ci sta, e lo mangiano tranquillamente anche i vegani. Ma il punto è un altro: chi mangia vegetale rimane magro perché sente meno la fame, proprio grazie ai carboidrati.

I LEGUMI MI GONFIANO, COME POSSO FARE?

Questa è una problematica molto comune, ma potete stare tranquilli: se mangiate correttamente, il gonfiore durerà qualche settimana per poi sparire. Perché diventiamo gonfi quando assumiamo i legumi? Perché la nostra flora batterica non è abituata alla loro presenza. In altre parole, non sono i legumi i "colpevoli", siamo noi! I batteri del nostro intestino, non essendo abituati a incontrare frequentemente le fibre contenute nei legumi, non le sanno gestire e metabolizzare correttamente, per questo si formano gas. Per ovviare a questo problema, vi suggerisco di introdurre i legumi gradualmente, iniziando con piccole quantità e incrementando di volta in volta. Inoltre, vi consiglierei di assumere legumi decorticati, perché è nella buccia che si trovano la maggior parte delle sostanze difficili da metabolizzare. Anche usare farine di legumi o pasta di legumi è un ottimo modo per cominciare.

SOIA E DERIVATI

Ho deciso di dedicare alla soia un capitolo a parte, nonostante si tratti pur sempre di un legume, proprio per il grande alone di mistero che la circonda. La soia si differenzia rispetto agli altri legumi per il suo maggior quantitativo proteico, oltre che di ferro e calcio. È un legume ricchissimo di proteine, e anche per questo motivo è molto diffusa come alimento alternativo alla carne.

Molti hanno dubbi sulla soia: a causa di infondate paure, ormai diffusissime, i più la evitano. È un vero peccato, perché la soia ha moltissimi pregi: con essa si possono creare numerosi prodotti, alcuni dei quali sono famosi per essere largamente consumati, appunto, in alimentazioni vegetariane e vegane.

Per esempio, in quasi tutti i supermercati possiamo trovare i seguenti prodotti.

bevande a base di soia
Chiamate anche, nell'uso corrente, "latte di soia", sono ottime per diventare sostituti del latte, nelle preparazioni dolci e salate (per esempio, a p. 110 usiamo il latte di soia per preparare una deliziosa besciamella).

bevande di soia fermentata (yogurt)
Ottime per colazioni e snack leggeri e deliziosi; in commercio si trovano sia zuccherate sia senza zucchero, e anche alla frutta, proprio come gli yogurt di latte vaccino.

tofu
Probabilmente è il prodotto più famoso a base di soia, che lascia molte persone scettiche per il suo "poco sapore". Ma è normale: se vi aspettate che sappia di feta, vi state sbagliando. Il tofu non va mangiato da solo: è una sorta di spugna abbastanza insapore, ma molto versatile in cucina, e può diventare davvero delizioso se cucinato nei modi giusti. Se l'avevate assaggiato da solo e non vi è piaciuto, avete ragione. Ma non metteteci una croce sopra: il modo migliore per servire il tofu è insaporirlo con qualcos'altro! Dategli una nuova chance: il tofu è un jolly fantastico in cucina, perfetto per preparare creme e pâté di verdure, polpette, dolci e molto altro.

tempeh
È un panetto dall'aspetto granuloso fatto con la soia intera e fermentata. Contiene più proteine del tofu, e come il tofu prende il sapore degli ingredienti con cui viene marinato o cucinato.

edamame
Sono i semi di soia ancora acerbi, buonissimi. Tutti li conosciamo, ormai, grazie ai ristoranti giapponesi.

miso
È una sorta di dado giapponese fatto con semi di soia fermentati, più sale e koji. Ha un sapore unico, definito umami, e viene utilizzato in tantissimi piatti orientali come (ma non solo) la famosissima zuppa di miso.

proteine della soia
Proteine in polvere vegane.

sostituti della carne
Come burger, salsicce, nuggets vegetali. Non sono proprio la scelta più sana, ma sono spesso a base di soia.

salsa di soia e tamari
La salsa di soia è una salsa fermentata ottenuta da soia, grano tostato, acqua e sale, di origine orientale ma ormai usata in tutto il mondo. Il tamari è la versione tipica della cucina cinese, priva di glutine perché non usa il frumento.

È vero che la soia causa il cancro al seno?

I fitoestrogeni della soia, contrariamente a quanto il nome può suggerire, non hanno un effetto stimolante sui tessuti della mammella, anzi! Dal momento che si legano al recettore degli estrogeni senza attivarne la risposta, proteggono dall'eccessiva stimolazione da parte dei nostri estrogeni e da tutte quelle molecole simil-estrogeniche (che si chiamano interferenti endocrini) con le quali purtroppo veniamo continuamente in contatto. Proprio per questo chi consuma soia ha un rischio minore di sviluppare tumori ormono-dipendenti (come quello al seno nella donna e alla prostata nell'uomo).

Soia e ambiente

È verissimo che le piantagioni di soia sono la causa di gran parte della deforestazione, specialmente in Sudamerica. Questa è una grande minaccia per la biodiversità e la natura. Però è anche vero che la maggior parte della soia è coltivata per nutrire gli animali da allevamento, non per diventare tofu. Si calcola che meno del 6% della produzione mondiale di soia venga usata per alimenti destinati agli esseri umani, nelle forme di cui vi ho parlato prima. Quindi, limitando l'assunzione di carne, stiamo di certo riducendo anche l'impatto causato dalla coltivazione di soia.

Il cuore ne trae beneficio

Uno dei benefici maggiori derivanti dal consumo di soia è l'abbassamento dei livelli di colesterolo totale e di colesterolo cattivo, e di conseguenza una migliore prevenzione delle patologie cardiovascolari. Inoltre, la soia contiene molta fibra, che oltre a regolare il transito intestinale riduce la curva glicemica postprandiale e ostacola l'assorbimento del colesterolo.

E la tiroide?

Secondo alcuni studi l'assunzione degli isoflavoni contenuti nella soia potrebbe interferire con l'attività della tiroide. Tuttavia, un adeguato apporto di iodio ci dà la certezza che la soia non costituisca un problema per la funzionalità tiroidea. Cibi pieni di iodio sono il nostro comune sale iodato, oppure le alghe, quelle che mangiamo quando andiamo al ristorante giapponese. Bisogna fare attenzione soltanto se si segue una terapia ormonale sostitutiva per quanto riguarda l'ormone prodotto dalla tiroide: in quel caso si consiglia di assumere soia a distanza di qualche ora rispetto alla terapia ormonale, perché potrebbe interferire con l'assorbimento.

Soia OGM

OGM significa "organismo geneticamente modificato": si tratta di piante, microrganismi o animali in cui parte del patrimonio genetico è stato modificato con tecniche di ingegneria genetica. La tecnica OGM viene essenzialmente impiegata per gli esseri viventi vegetali, a scopo alimentare e industriale. L'argomento della soia OGM è tra i più dibattuti, ma c'è da dire una cosa: in Europa la soia per uso umano non è OGM, per legge. In più, non c'è nessuna prova che i cibi geneticamente modificati causino allergie, resistenze ad antibiotici o, in generale, danni alla salute e all'ambiente.

Soia e menopausa

Non bisogna aver paura dell'effetto simile a quello degli estrogeni che hanno gli isoflavoni contenuti nella soia. Anzi, un consumo normale di soia è in grado di mitigare i sintomi della menopausa e di migliorare la mineralizzazione dell'osso. Vi lascio un curioso aneddoto: nella lingua giapponese non esiste il termine "vampata". Indovinate perché? Perché proprio grazie al consumo di soia, largamente presente nella dieta giapponese, le donne soffrono meno di questi disturbi.

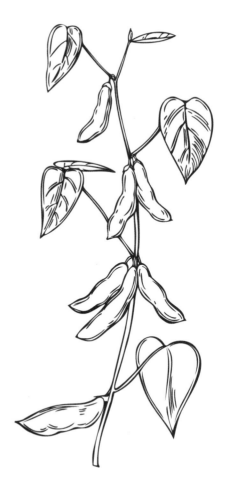

NUTRIENTI PRESENTI NELLA SOIA

PROTEINE È uno dei legumi più ricchi in assoluto di proteine, superata solo dai lupini.

GRASSI SANI Contiene principalmente grassi monoinsaturi e polinsaturi, ottimi per la salute (a differenza dei grassi saturi, quelli presenti nella carne e nel formaggio).

CALCIO La soia aiuta a mantenere la densità ossea e probabilmente anche a diminuire la possibilità di fratture nell'età della menopausa.

FERRO La soia contiene 6,9 mg di ferro per 100 g, che è circa la metà del fabbisogno giornaliero di ferro di un uomo adulto.

ISOFLAVONI Sono un tipo di fitoestrogeni dalle proprietà antiossidanti, efficaci nella prevenzione dei tumori ormono-dipendenti come quelli al seno e alla prostata.

VERDURA

Caratterizzate da un'immensa varietà di colori, forme, sapori e dimensioni, le verdure sono ricchissime di acqua e di fibre, mentre sono povere di zuccheri, grassi e proteine.

Ognuna ha le proprie particolarità per quanto riguarda l'apporto di vitamine e altri nutrienti, ma una cosa molto importante da fare è assicurarci che il colore verde sia sempre presente nel nostro frigorifero e nei nostri piatti: le verdure di questo colore, infatti, sono le più ricche di calcio, ferro, antiossidanti e altre sostanze benefiche per l'organismo. Le verdure verdi sono sicuramente le migliori dal punto di vista nutritivo, ma anche quelle di altri colori non mancano di motivi per essere acquistate.

Piuttosto che distinguere le verdure in maniera scientifica, ho preferito creare una classificazione che le raggruppi in base alla parte della pianta più utilizzata in cucina. Ovviamente, il consiglio è sempre quello di cercare di non buttare via nulla, utilizzando anche gli scarti.

verdure a bulbo

Note per il contenuto di sostanze solforate, hanno una funzione antisettica e aiutano il sistema respiratorio. Aiutano anche ad abbassare il colesterolo. Sono alla base della cucina, e sono spesso utilizzate come insaporitori. Si possono aggiungere anche crude nelle insalate e sono perfette per insaporire zuppe e vellutate.

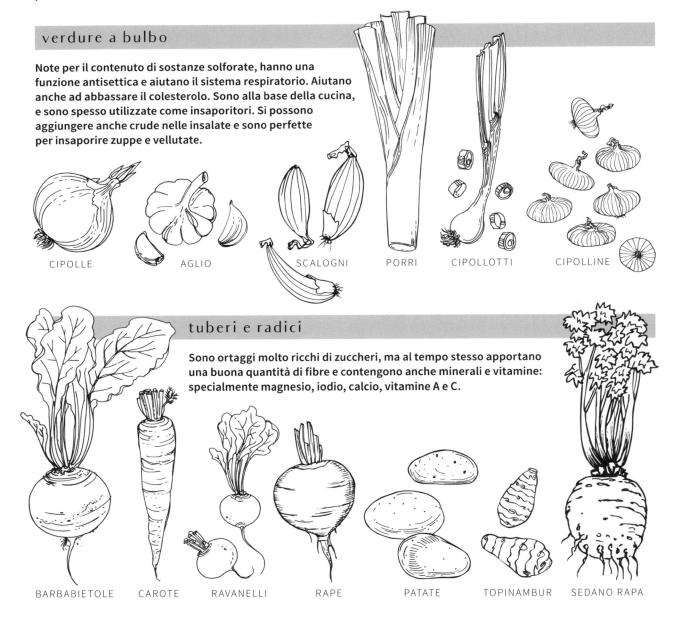

CIPOLLE   AGLIO   SCALOGNI   PORRI   CIPOLLOTTI   CIPOLLINE

tuberi e radici

Sono ortaggi molto ricchi di zuccheri, ma al tempo stesso apportano una buona quantità di fibre e contengono anche minerali e vitamine: specialmente magnesio, iodio, calcio, vitamine A e C.

BARBABIETOLE   CAROTE   RAVANELLI   RAPE   PATATE   TOPINAMBUR   SEDANO RAPA

verdure a foglia

Hanno un alto contenuto di ferro, di calcio (tranne biete e spinaci) e di magnesio.
Contengono vitamina K, che interviene nella regolazione della coagulazione del sangue,
vitamina C e vitamina A, utili per il rafforzamento del sistema immunitario.
Sono inoltre ricche di fibre, quindi proteggono l'intestino.

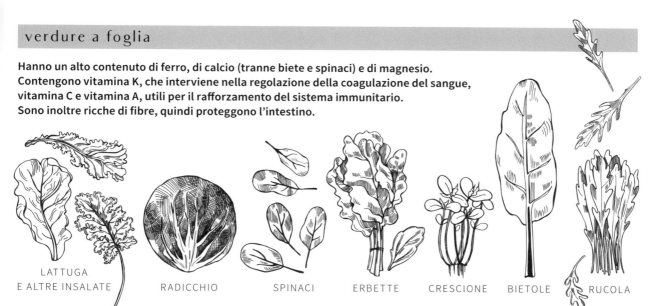

LATTUGA
E ALTRE INSALATE   RADICCHIO   SPINACI   ERBETTE   CRESCIONE   BIETOLE   RUCOLA

verdure a frutto

Sono in realtà frutti, contenenti semi al loro interno.
Alcuni semi sono commestibili, mentre altri devono
essere rimossi perché la verdura possa essere mangiata
(come nel caso dei peperoni). A parte le melanzane,
che vanno consumate solo cotte, tutte queste verdure
possono essere utilizzate anche crude, e sono
alla base di molte salse, zuppe e stufati. Contengono
discrete quantità di vitamina A, importante per
il processo di differenziazione cellulare e per la vista,
e di vitamina C, antiossidante in grado di favorire
l'assorbimento di ferro.

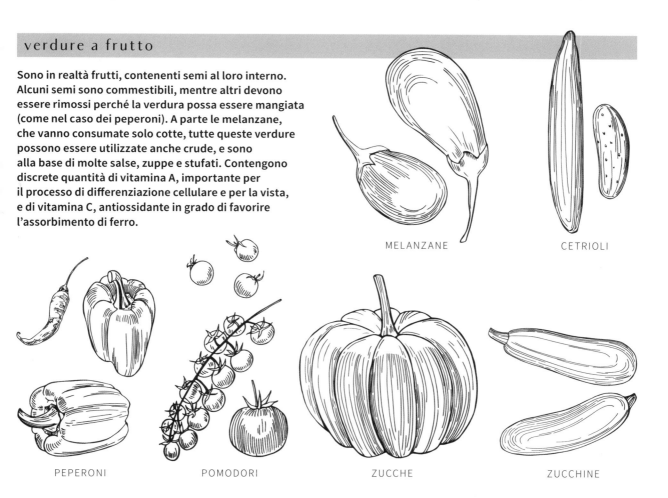

MELANZANE   CETRIOLI

PEPERONI   POMODORI   ZUCCHE   ZUCCHINE

verdure a fiore

La famiglia delle crucifere è estremamente utile per proteggere la nostra salute: ognuna di queste verdure contiene infatti potentissimi antiossidanti, è fonte di vitamina C e di minerali come calcio, magnesio, fosforo e potassio.

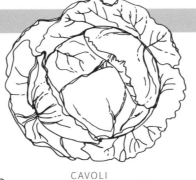

CAVOLI

CAVOLINI
DI BRUXELLES

BROCCOLI

CAVOLFIORI

CAVOLI ROMANI

CAVOLI ROSSI

steli e germogli

Ottimi sia cotti che crudi, sono ricchissimi di fibre e hanno perciò un alto potere saziante. Contengono inoltre potassio, magnesio, iodio, vitamine C e A. In particolare finocchi, asparagi e sedano sono alleati della digestione e hanno proprietà diuretiche e drenanti.

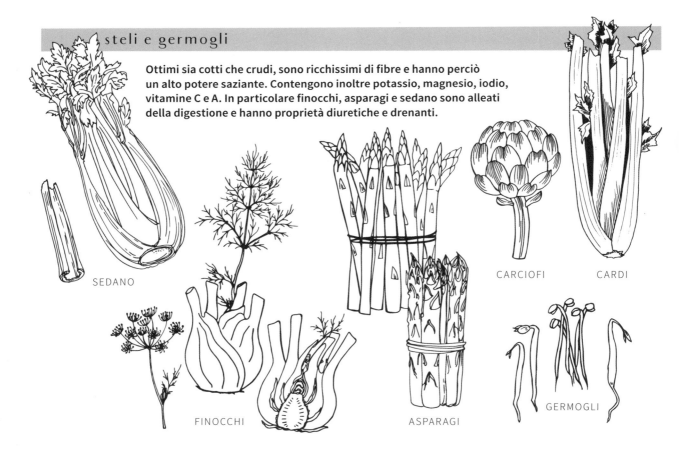

SEDANO

FINOCCHI

ASPARAGI

CARCIOFI

CARDI

GERMOGLI

FRUTTA

La frutta, così come la verdura, è ricca di acqua e di fibre, contiene una grande quantità di vitamine, nutrienti, zuccheri ed è povera di grassi e proteine (con l'eccezione della frutta farinosa e oleosa, come vedremo).

frutta acidula

Comprende tutti gli agrumi, come limoni, arance, pompelmi, mandarini, lime, ma anche i kiwi: sono la principale fonte di vitamina C.

ARANCE   LIMONI   MANDARINI   POMPELMI   LIME   KIWI

frutta semiacidula

Sono frutti caratterizzati da proprietà antiossidanti e antinfiammatorie, e sono benefici per la vista.

FRUTTI DI BOSCO   AMARENE   UVA SPINA   MELAGRANE

frutta semidolce

Contiene una discreta quantità di glucidi, quindi di zuccheri, e generalmente molta vitamina A.

PRUGNE

MELE   PERE   MELONI

PESCHE   ALBICOCCHE   FRAGOLE

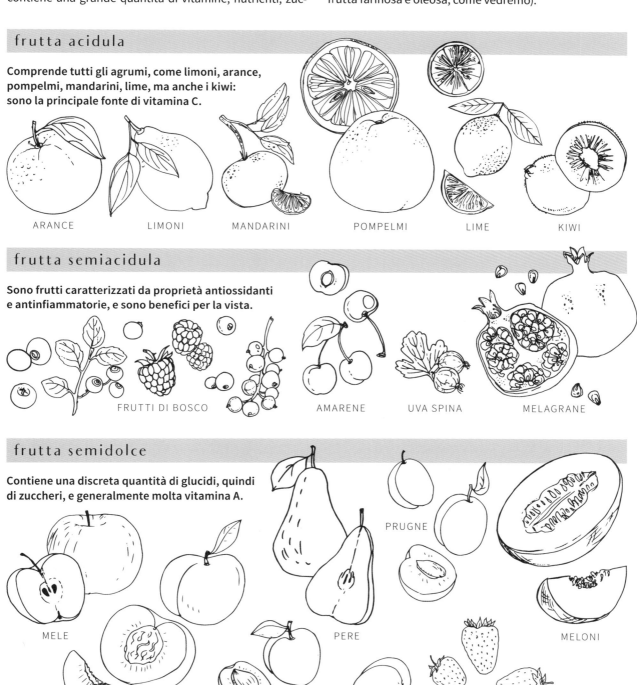

frutta dolce

Ha generalmente un contenuto maggiore di zuccheri rispetto agli altri tipi di frutta (dal 15 al 22%).

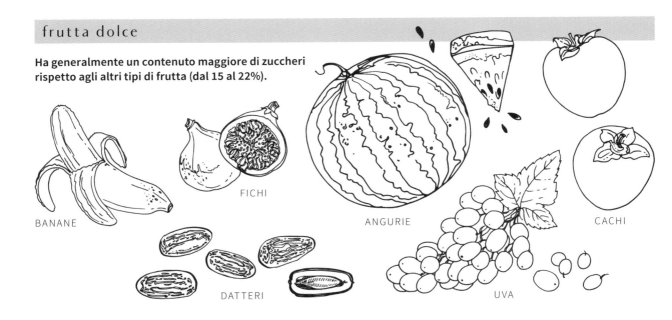

BANANE

FICHI

ANGURIE

CACHI

DATTERI

UVA

frutta farinosa

È costituita in gran parte da amido, ed è particolarmente zuccherina. Ne fanno parte le castagne e le carrube (nonostante queste siano in realtà legumi, le classifichiamo come frutti per la loro dolcezza). Questi frutti sono molto utilizzati anche sotto forma di farine e hanno potere saziante, essendo ricchi di fibre.

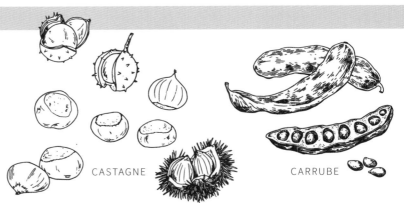

CASTAGNE

CARRUBE

frutta oleosa fresca

Ha un elevato apporto energetico, dovuto alla presenza di lipidi.

OLIVE

COCCO

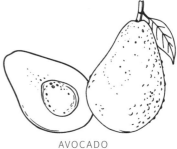

AVOCADO

ingredienti & nutrizione

VERDE La frutta e le verdure verdi hanno un forte potere antiossidante, aiutano l'organismo a prevenire le patologie coronariche e molti tipi di tumore; inoltre aiutano la vista e le cellule epiteliali. Sono le più ricche di magnesio, ferro, fosforo e potassio.

BLU/VIOLA Gli alimenti di questo colore proteggono in particolar modo la vista e le vie urinarie. Le antocianine, responsabili di questo colore, svolgono un'azione antiossidante e protettiva. Frutta e verdura blu-viola, infine, sono ricche di fibre e di carotenoidi, attivi contro le patologie neurodegenerative e l'invecchiamento cutaneo.

GIALLO/ARANCIONE Frutta e verdura di questo colore aiutano a prevenire tumori, patologie cardiovascolari e invecchiamento cellulare, potenziando anche la vista. Il segreto sono i flavonoidi, i quali agiscono prevalentemente a livello gastrointestinale, neutralizzando la formazione dei radicali liberi. Il loro pigmento è il beta-carotene, precursore della vitamina A, una molecola dalla dimostrata attività antitumorale, che ci aiuta nell'assorbimento del ferro vegetale.

ROSSO Questi vegetali devono i loro bellissimi colori al licopene e agli antociani, potentissimi antiossidanti. Si distinguono proprio per le loro importanti proprietà antiossidanti e per la capacità di prevenire tumori e patologie cardiovascolari, proteggendo anche il tessuto epiteliale. Le antocianine e i carotenoidi, presenti particolarmente in arance rosse, fragole e ciliegie, sono ottimi per contrastare la fragilità capillare e potenziano la vista. Infine, gli alimenti rossi sono i più ricchi di vitamina C, uno dei principali responsabili del buon assorbimento del ferro.

BIANCO Ricche di vitamine, fibre, potassio, la frutta e la verdura di questo colore sono un ottimo strumento di prevenzione contro l'invecchiamento cellulare e aiutano la regolarità intestinale. La quercetina contenuta in questi alimenti difende l'organismo dal rischio di tumori.

Guida all'acquisto e alla conservazione

Il fruttivendolo, i negozi biologici e il mercato sono le mie opzioni preferite per acquistare frutta e verdura. Se vivete in campagna, approfittatene per acquistare direttamente dal contadino, mentre se vivete in città, avete una vita frenetica e avete il tempo di fare la spesa solo una volta ogni tanto e di corsa, approfittate dei servizi di consegna a domicilio come Cortilia, Bioexpress, Portanatura e altri. Molto spesso, la qualità dei prodotti offerti da questi servizi supera di gran lunga quella del supermercato.

Prediligete sempre frutta e verdura di stagione, possibilmente locali o almeno coltivate in Italia, che abbiano un aspetto maturo ma non troppo. Evitate ciò che è stato raccolto molto prima della maturazione, e anche ciò che ha superato il suo momento migliore: lo noterete sicuramente, perché la frutta (o la verdura) perde il colore brillante e non ha più un aspetto sodo.

Per quanto riguarda il prezzo, state attenti a non farvi derubare, ma allo stesso tempo siate disposti a spendere un po' di più se siete certi che state pagando la qualità: il lavoro dei contadini onesti e la bontà dei prodotti richiedono un giusto prezzo. Infine, evitate frutta e ortaggi già lavati e tagliati, quelli sì che hanno prezzi esagerati! E in più, il loro packaging spesso è un grosso spreco di plastica!

Io tendo a conservare la maggior parte della frutta e della verdura in frigorifero, ma alcune tipologie stanno meglio fuori: sono le banane, i pomodori, le patate, le cipolle e l'aglio (gli ultimi tre stanno benissimo in luoghi freschi, asciutti e soprattutto bui).

Non abbiate paura di congelare la frutta, se ne avete comprata troppa e temete di non riuscire a finirla entro qualche giorno: sarà un'ottima scorta per succhi o frullati fatti in casa!

E LA FRUTTA E LA VERDURA SURGELATE?

Vi consiglio di mangiare il più possibile frutta e verdura fresche e di stagione, ma se per una volta non siete riusciti a fare la spesa, oppure se siete sempre di corsa e non avete il tempo di cucinare, ben venga acquistare e mangiare frutta e verdura surgelate, piuttosto che non consumarne affatto. Perdono alcune delle loro proprietà nutritive, è vero, ma sarà sempre meglio di niente! Quindi sì, in alcune situazioni frutta e verdura congelate possono essere delle ottime alleate.

È VERO CHE FRUTTA E VERDURA, ESSENDO INQUINATE, FANNO MALE ALLA SALUTE?

Se ciò che finora vi ha trattenuti dal consumarne in abbondanza è la paura che frutta e verdura siano inquinate e/o piene di pesticidi, sappiate che non c'è affatto motivo di temere queste categorie alimentari: a parità di esposizione a pesticidi e inquinanti ambientali, è molto meglio mangiare direttamente i vegetali piuttosto che i derivati di animali che a loro volta si sono cibati dei vegetali. Nel corso della vita di questi animali, infatti, le sostanze nocive che temiamo si accumulano nei loro tessuti, specialmente in quello adiposo, e finiscono quindi "concentrate" nella loro carne e nel loro latte.

FRUTTA SECCA E SEMI OLEAGINOSI

Si dovrebbe dedicare un intero libro alla frutta secca, spesso temuta per l'elevato apporto calorico, ma che al contrario favorisce la sazietà con il suo elevato contenuto di fibre ed è fondamentale in una dieta bilanciata.

La frutta secca è indispensabile per integrare naturalmente minerali: essa è infatti ricchissima di potassio, fosforo, rame, zinco, sale, ferro, vitamine del gruppo B (tranne la B12) ed E. In questo gruppo troviamo mandorle, noci, nocciole, arachidi, pinoli, pistacchi, anacardi, noci pecan, noci di macadamia. Nonostante il consumo di frutta secca sia fortemente raccomandato (l'ideale sarebbe circa 30 g al giorno), in pochi riescono a seguire questa indicazione. La maggior parte delle persone è solita consumare frutta secca soltanto durante le feste natalizie, o al massimo all'interno di qualche dolce o barretta energetica. Iniziare un'alimentazione vegetale è sicuramente un'occasione per iniziare a consumarla con regolarità e a godere di tutti i suoi benefici. È anche molto semplice farlo, dato che la frutta secca può essere conservata a lungo nelle nostre dispense, all'interno di contenitori, ed è un'ottima idea per uno snack veloce, per arricchire uno yogurt a colazione o per condire insalate o piatti in maniera gustosa.

E poi esistono deliziosi "burri" di frutta secca: il nome può essere frainteso, ma vi assicuro che il burro non c'entra nulla! Si tratta infatti di creme ottenute frullando molto a lungo uno o più tipi di frutta secca: proprio come il burro di arachidi, il più popolare. Ma la stessa crema si può ottenere con le mandorle, le nocciole e tutto ciò che vi viene in mente. Sono creme deliziose, sane e ottime da spalmare sul pane o sulla frutta per renderli più gustosi, ma anche da inserire in yogurt e frullati, per renderli più nutrienti.

La frutta secca contiene più del 50% di grassi e ha un elevato apporto calorico, ma questo non deve assolutamente intimorirci: i suoi benefici, infatti, sono molti più delle calorie! Questa categoria di prodotti possiede grassi sani, ci fornisce proteine senza l'accompagnamento di grassi saturi, apporta molta fibra alimentare ed è povera di zuccheri. La presenza di acido oleico e acido linoleico, inoltre, rende la frutta secca preziosa per la prevenzione delle malattie cardiovascolari.

Semi oleaginosi

Sono simili alla frutta a guscio per quanto riguarda le proprietà. I semi infatti sono tutti accomunati da un elevato apporto di grassi, proteine e fibre. I più comuni sono i semi di sesamo, di girasole, di zucca, di papavero, di lino, di chia, di canapa. Questi alimenti sono benefici per il loro contenuto di grassi polinsaturi, acidi grassi della famiglia degli omega 3. Questi ultimi contrastano il colesterolo e migliorano le funzioni cardiache, hanno un'azione antinfiammatoria e sono presenti specialmente nei semi di lino e di chia.

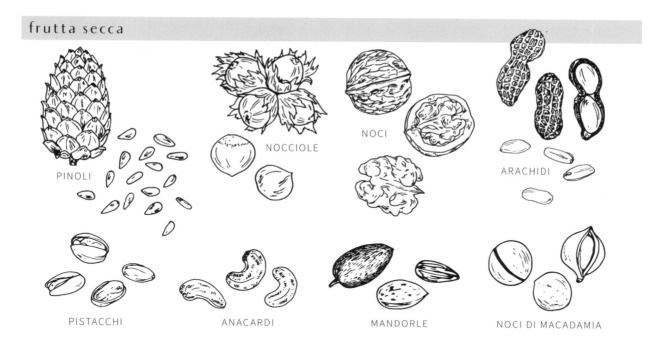

PINOLI

NOCCIOLE

NOCI

ARACHIDI

PISTACCHI

ANACARDI

MANDORLE

NOCI DI MACADAMIA

LE PROPRIETÀ DEI SEMI DI LINO

Sono una delle più ricche fonti naturali di acidi grassi omega 3. Bastano 2 cucchiai di semi di lino macinati (o di olio di semi di lino) per sopperire al fabbisogno quotidiano di omega 3. Vanno macinati perché altrimenti li elimineremmo tali e quali, senza assimilare i preziosi nutrienti contenuti al loro interno! Inoltre, i semi di lino modulano positivamente l'attività del sistema immunitario, sono utili per la lotta al colesterolo e ai coaguli nel sangue, per la riduzione dell'insulino-resistenza, per la prevenzione dei tumori e della depressione, per la protezione e il corretto funzionamento di moltissimi organi vitali. La ricchezza di acidi grassi polinsaturi ha tuttavia il difetto di amplificare i problemi di conservabilità: l'olio di semi di lino, infatti, che viene ottenuto per spremitura a freddo, irrancidisce velocemente, perciò è necessario mantenere la catena del freddo lungo tutta la filiera. Fate attenzione, quindi, e tenetelo sempre in frigorifero!

LA STORIA DEI SEMI DI CHIA

I semi di chia in antichità erano l'alimento di base della dieta degli Aztechi, che coltivavano questa pianta in grandi quantità. I semi di chia erano una componente fondamentale della vita di questa società precolombiana: si credeva che avessero proprietà rinvigorenti e che conferissero una forza straordinaria a chi li mangiava. Anche altri popoli indigeni, come i Maya, erano grandi consumatori di semi di chia. Oltre che in cucina, li usavano anche nelle cerimonie religiose come offerta agli dei, per chiedere in cambio un raccolto e una stagione favorevoli. I semi di chia furono importati in Europa dagli spagnoli dopo la scoperta dell'America. Negli ultimi anni questi semi stanno vivendo un vero e proprio boom, proprio grazie alle loro proprietà benefiche. Sono facilmente conservabili e hanno una lunghissima durata, a differenza di altri tipi di semi (per esempio, quelli di lino). È possibile conservarli in contenitori chiusi nella dispensa anche per anni senza che diventino rancidi.

BEVANDE VEGETALI E ALTRI SOSTITUTI DEI LATTICINI

Negli ultimi anni, lo spazio occupato dalle bevande vegetali sugli scaffali dei supermercati è cresciuto esponenzialmente, così come la varietà. Se ci pensiamo, 10 anni fa avremmo potuto trovare latte di soia, mandorla e riso (a essere fortunati), mentre oggi le tipologie sono moltissime: latte di nocciola, quinoa, cocco, miglio, anacardi... e chi più ne ha, più ne metta. Fatto sta che sostituire il latte vaccino, in qualsiasi situazione, è diventato veramente semplice.

Il latte vegetale non mi piace. Come faccio?

Se avete assaggiato il latte di soia (o qualsiasi altro latte vegetale) e credete che non rispecchi proprio i vostri gusti, beh... sappiate che ci siamo passati tutti. È normale che, non essendo abituati al sapore, lo percepiamo inizialmente come qualcosa che non ci piace. Pensate a quando avete assaggiato il caffè o il vino per la prima volta! Datevi qualche giorno e sono certa che la situazione migliorerà. E, se non dovesse migliorare, provate altre marche: così come i succhi di frutta o il caffè, non tutti i latti vegetali sono uguali: anch'io preferisco di gran lunga alcune marche e alcuni gusti rispetto ad altri.

E lo yogurt?

Per quanto riguarda il discorso yogurt, la tipologia più diffusa in Italia è senz'altro quella a base di soia: il mercato offre oggi una scarsa varietà rispetto a quella che troviamo tra le bevande. Esistono anche gli yogurt a base di cocco, che, seppur deliziosi, sono molto più ricchi di grassi saturi e meno sostenibili dal punto di vista ambientale. Infine, possiamo trovare gli yogurt di riso, avena o mandorla, che però sono molto ricchi di zucchero. Io utilizzo quasi esclusivamente yogurt di soia bianco senza zucchero, che all'occorrenza insaporisco con frutta fresca, secca, cereali e magari un cucchiaino di marmellata.

OLI E GRASSI VEGETALI

Nella cucina vegetale, specie in Italia, il grasso più utilizzato è senza dubbio l'olio extravergine di oliva, ottimo anche per non sbilanciare troppo il rapporto tra acidi grassi omega 6 e omega 3. Ovviamente, è sempre bene non esagerare. Nonostante sia un "grasso buono", è importante considerare il fatto che si tratta pur sempre di un grasso, cioè di un alimento molto calorico. Un cucchiaio di olio di lino al giorno è un'ottima opzione per chi vuole introdurre omega 3 nella propria alimentazione. Fate attenzione, però, a comprare un prodotto di qualità, che sia sempre stato mantenuto al freddo. Se non lo trovate, o non volete consumarlo, nessun problema: potete ripiegare su semi di lino, chia e noci per assumerne a sufficienza. Ricordatevi di macinare i primi due tipi fino a ottenere una polvere, per un apporto ottimale.

Per quanto riguarda la preparazione dei dolci, io tendo a evitare la margarina vegetale, perché è un alimento molto processato e poco sano. Al suo posto utilizzo soprattutto due oli: quello di semi di girasole (cerco di sceglierne sempre uno biologico) e quello di cocco, del quale esistono due varianti: quella che sa di cocco e quella insapore, detta "raffinata". Ovviamente, consiglio di utilizzare entrambi con parsimonia.

ALTRI ALIMENTI

dolcificanti
Sciroppo d'acero, di agave, malto, datteri, stevia, zucchero di cocco, di canna... questi sono solo alcuni tra i mille dolcificanti che derivano dal mondo vegetale. Vi consiglio di non abusarne, ma ovviamente questi ingredienti sono fondamentali per torte e dolci, nella cucina vegetale come in qualsiasi altro tipo di cucina.

sottoli e sottaceti
Estremamente utili in dispensa, possono comprendere diverse varietà di ingredienti, ma principalmente si tratta di verdura. Possiamo trovarli al naturale (come nel caso delle olive), essiccati (come nel caso dei pomodori secchi), cotti al forno o alla griglia. Sono ottimi come risorsa da servire per un antipasto improvvisato o un aperitivo, ma anche da aggiungere all'interno di panini o piadine quando siamo di corsa.

spezie ed erbe aromatiche

Alleati indispensabili in cucina, sia per arricchire le nostre ricette di gusto e di aromi deliziosi, sia per fare il pieno di salute: infatti, quasi tutte le spezie e le erbe aromatiche hanno benefiche proprietà, e sono in grado di esercitare attività molto diverse e positive per il nostro organismo, principalmente grazie agli agenti antinfiammatori e antimicrobici che contengono.

alghe

Molto utilizzate nella cucina asiatica, meno in quella nostrana. Sicuramente molti di voi le avranno assaggiate in un ristorante giapponese: ne esistono di diversi tipi, e ognuna ha le sue proprietà. In generale, tutte contengono sostanze benefiche per l'organismo, ma per assumere queste ultime in quantità rilevanti dovremmo mangiare davvero moltissime alghe, finendo per assumere troppo iodio e metalli pesanti, che le alghe portano con sé dalle acque marine (che purtroppo oggi non sono così pulite). Non sono da bocciare in toto, ma neanche da consigliare ogni giorno.

ALGA KOMBU E LEGUMI

Molti trovano difficoltà a digerire i legumi, ed ecco che la kombu può venire in aiuto: è sufficiente aggiungere un pezzo di quest'alga nell'acqua di cottura di qualsiasi legume, oppure direttamente nell'acqua di ammollo (basta un pezzettino da 5-6 cm² di alga). Le sostanze contenute nell'alga kombu rendono infatti la buccia dei legumi più morbida: in questo modo saranno più gradevoli da mangiare e anche più facilmente digeribili.

lievito

I vegani utilizzano il lievito, che sia lievito per dolci, di birra, cremortartaro o lievito madre. È invece il caso di prestare attenzione alla presenza di stabilizzanti che possono essere di origine animale, derivanti da scarti della macellazione di bovini e suini (la sigla in etichetta è E470a). È importante quindi leggere bene l'etichetta, accertandosi che il lievito non contenga additivi di origine animale.

lievito alimentare

Si tratta di lievito di birra che, essendo stato disattivato, ha perso la sua capacità di lievitare e fermentare. Per questo motivo non può essere utilizzato per prodotti da forno, ma si può considerare un perfetto insaporitore per pietanze vegane. Il sapore del lievito alimentare in scaglie infatti ricorda quello del formaggio.

cioccolato, tè, caffè

Il cioccolato fondente in molti casi non contiene latte, ed è quindi già di per sé un prodotto vegano. Ultimamente stanno comparendo anche diversi tipi di cioccolato al latte, o addirittura bianco, adatti per chi segue un'alimentazione vegana. L'importante, come sempre, è controllare bene l'etichetta e accertarsi che non ci siano additivi di origine animale. Oltre a ciò, è importante acquistare, quando possibile, cioccolato (o caffè o altri prodotti) provenienti dal commercio equo e solidale. Per quanto riguarda il tè e il caffè possiamo stare tranquilli, dal momento che non contengono ingredienti di origine animale in nessun caso.

birra, vino e altri alcolici

Partiamo dalla birra: per produrla gli anglosassoni fanno largo uso di colla di pesce. Le birre più "sicure" per i vegani sono quelle belghe e tedesche. Vi consiglio di leggere sempre bene le etichette, anche se spesso non riportano tutto ciò che viene usato nei processi di produzione. La stessa cosa accade con il vino: spesso è difficile dedurre dall'etichetta quali sostanze sono state usate durante la produzione.

Un altro ingrediente non vegano presente in molti alcolici (specialmente di colore rosso) è la cocciniglia, ottenuta dall'omonimo insetto, codificata con la sigla E120 in etichetta. In ogni caso, possiamo trovare informazioni sui principali marchi in commercio sul sito www.barnivore.com, dove è sufficiente scrivere il nome del prodotto in questione per sapere se si tratta di un alcolico *vegan friendly* o meno.

aceti e altri condimenti

In Italia, gli aceti più comuni sono certamente quelli di vino bianco e rosso o di mele, ma ne esistono di infinite tipologie. Sono perfetti per insaporire insalate, salse e pietanze, e ottimi per conservare le verdure. Gli usi dell'aceto non terminano con le preparazioni culinarie, dato che questo alimento è anche perfetto per sgrassare e pulire. Altri condimenti sono il mirin giapponese, il tabasco, la senape.

funghi

Sono più ricchi di fibre e di proteine rispetto alle verdure. Sono anche ricchi di selenio, fosforo, calcio, magnesio, potassio e ferro. Quali scegliere? I funghi edibili sono moltissimi: per imparare a districarsi tra tipologie, famiglie e sapori sarebbe necessario un intero libro. Consiglio innanzitutto di assaggiare e imparare a conoscere quelli tipici del proprio territorio, ma facendo attenzione a non comprarli da venditori improvvisati. Nei negozi biologici o orientali possiamo trovare anche tipologie di funghi che fino a qualche decennio fa, in Italia, erano sconosciute, come reishi, shiitake e maitake.

Come abbinare spezie ed erbe aromatiche

	SAPORE	ACCOMPAGNAMENTI	CONSIGLI D'USO
anice	dolceamaro, aromatico, con note pungenti di liquirizia	cucina orientale, zuppe, sorbetti, dolci alla cannella	Unitelo a inizio cottura per un risultato molto aromatico.
cannella	dolce, leggermente amaro, estremamente aromatico	dolci da forno e al cucchiaio, mele, banane, pere, cioccolato, caffè, zenzero, porridge, frutta secca, vaniglia	Unitela a inizio cottura: cuocerla a lungo ne elimina la componente amara.
cardamomo	leggermente dolce, aromatico, con note pungenti e speziate	cucina indiana, ricette asiatiche, mediorientali e scandinave, riso, zuppe e prodotti da forno	Unitelo a inizio cottura. Da usare intero per un sapore più delicato, tritato per un sapore più intenso.
chiodi di garofano	dolceamaro, con note molto pungenti e speziate	dolci da forno e al cucchiaio, mele, frutta (specialmente cotta e specialmente gli agrumi), riso, salse, cannella	Uniteli a inizio cottura. Ottimi da aggiungere nell'acqua di cottura del riso, per renderlo più aromatico.
cumino	dolceamaro, aromatico, terroso, pungente, con note aspre e affumicate	ricette mediorientali, messicane, pane e focacce, legumi, verdure al forno	Per tirare fuori il suo sapore, tostatelo brevemente in una padella senza olio. Unite a inizio cottura.
curcuma	amaro, con note terrose e pungenti	cucina indiana, cavolfiori, patate, verdure al forno in generale, riso, tofu, zuppe di verdure e legumi, condimenti per insalata	È una delle componenti principali del curry. Perfetta per aggiungere un sapore pungente ai piatti indiani, e per donare il suo colore giallo a preparazioni come pancake, crêpe, tofu strapazzato.
curry	aspro e amaro, con note terrose, pungenti e piccanti	cucina indiana, cucina thai, riso, latte di cocco, tofu, patate, melanzane, verdure al forno, ceci e altri legumi, zuppe e vellutate	Unitelo al soffritto per un sapore più delicato, a fine cottura per un effetto più intenso.
noce moscata	dolceamaro, con note speziate, ricorda il periodo invernale	mele, dolci da forno, budini, crema pasticciera, besciamella, patate, salse	Aggiungete a fine cottura, con parsimonia. Provate a unirla negli impasti dei dolci, specialmente quelli autunnali.
paprica	amaro, ma con una punta leggermente dolce, talvolta piccante (dipende dalla varietà), terroso, fruttato e pungente	cucina spagnola, aglio, legumi, patate, pomodori, zuppe, frutta secca, condimenti per insalata	Provate a tostarla in padella prima di utilizzarla, per un sapore estremamente aromatico. Assaggiate anche la paprica affumicata, per un'intensità superiore.

SPEZIE

ingredienti & nutrizione

	SAPORE	ACCOMPAGNAMENTI	CONSIGLI D'USO
pepe	piccante, aromatico, pungente e legnoso	cucina mediterranea, europea, creola, indiana, tutte le verdure (cotte e crude), salse e zuppe	Non compratelo già tritato: preferite sempre il pepe in grani da macinare al momento, qualsiasi sia la varietà che sceglierete.
peperoncino	piccante, può avere anche note leggermente dolci	legumi, pasta, pomodoro, lime, verdure (specialmente cipolla e aglio), salse, zuppe, vellutate, cucina messicana, avocado	Unitelo a fine cottura, facendo attenzione a non esagerare.
senape	amaro, piccante, con note che ricordano il pepe	asparagi, broccoli, legumi, cavoli, aglio, limone, dolcificanti, funghi, patate, insalate e relativi condimenti, salse, cipolle, aceto, yogurt	Aggiungetela a fine cottura. Sperimentate le diverse varianti per scoprire la vostra preferita.
zafferano	dolce, leggermente aspro, leggermente amaro, con note terrose e sentori di miele	cucina mediterranea, indiana, melanzane, zucchine, patate, ceci, yogurt, panna, prodotti da forno, pasta, riso e risotti, condimenti per insalata	Aggiungetelo a fine cottura: lo zafferano viene attivato dal calore ma non deve cuocere a lungo.
zenzero	dolce, aspro, piccante e pungente	cucina asiatica, indiana, verdure, frutta, lime e lemongrass, limone, arancia, mele, pere, zucca, uva passa, frutta secca, salsa di soia, riso, zuppe, spinaci, tofu, aglio, granola e dolci da colazione, prodotti da forno	Provatelo in tutte le sue forme: grattugiato fresco, in polvere, candito, al forno. Quello fresco viene usato molto nella cucina asiatica, mentre la radice essiccata si usa molto nei dolci da forno.

(Etichetta laterale: SPEZIE)

	SAPORE	ACCOMPAGNAMENTI	CONSIGLI D'USO
alloro	dolceamaro, aromatico, con note pungenti di pino, legno, fiori, erba	sughi, zuppe, minestre, stufati, brodi, patate, legumi, zucca	Aggiungete le foglie all'inizio della cottura, sempre intere, e toglietele prima di servire. Usatelo con parsimonia, per evitare di ottenere un sapore amaro.
aneto	la pianta fresca è dolce, i semi sono amari	fagioli, carote, patate, insalate, zucchine, spinaci, aglio, salse, creme, yogurt, riso	Unitelo alla fine, prima di servire.
basilico	dolce, pungente, aromatico	cucina mediterranea, pomodoro, aglio, capperi, melanzane, zucchine, patate, olive, pinoli, olio, aceto, formaggio, pasta	Aggiungetelo appena prima di servire. Usatelo fresco.
cerfoglio	leggermente dolce, aromatico, con note di anice, liquirizia, prezzemolo	cucina francese, zuppe, insalate, pomodori, piselli, patate	Usatelo fresco, mai essiccato. Unitelo a fine cottura, prima di servire.

(Etichetta laterale: ERBE AROMATICHE)

ERBE AROMATICHE	dragoncello	dolceamaro, aspro, aromatico, con note pungenti	asparagi, pomodori, limone, maionese, condimenti per insalate, salse, zuppe, aceto	Aggiungetelo a fine cottura, prediligendo quello fresco.
	erba cipollina	pungente, con note spiccate di cipolla o scalogno	patate, insalate, legumi, noci, panna da cucina, yogurt, hummus, torte salate, pasta, zuppe, ripieni	Aggiungetela fresca, ben tritata, a fine cottura.
	maggiorana	dolceamaro, aromatico, con note pungenti di basilico, timo, origano, leggermente piccante	cucina mediterranea, legumi, pomodori, patate, melanzane, funghi, capperi, limone, riso, salse, zuppe	Aggiungetela fresca, a fine cottura.
	menta	dolce e aromatico, con pungenti note di erbe e limone	bevande, tè, cioccolato, agrumi, melone, frutti di bosco, carote, piselli, insalate, pomodori, zucchine, yogurt, riso	La menta aggiunge freschezza ai piatti. Usatela fresca.
	origano	amaro, leggermente dolce, con note pungenti di limone	cucina mediterranea, prodotti da forno, pasta, pomodoro, patate, verdure	Aggiungetelo a fine cottura.
	prezzemolo	fresco, aromatico, pungente, con note di erbe e limone	pomodori, melanzane, patate, legumi, funghi, aglio, limone, verdure grigliate o al forno, olive, olio, salse	Aggiungetelo a fine cottura.
	rosmarino	amaro, leggermente dolce, con note pungenti di legno, limone, menta, salvia	prodotti da forno, melanzane, patate, zucca, legumi, funghi, aglio, limone, verdure grigliate o al forno, olive, olio, salse, zuppe, stufati	Aggiungetelo a inizio cottura, intero se avete intenzione di togliere poi il rametto, oppure tritato molto finemente. Il rosmarino secco è meno amaro di quello fresco.
	salvia	amaro, aspro e lievemente dolce, con note astringenti, terrose e speziate	cipolle, patate, zucca, legumi, noci, aglio, olio, formaggio, pasta, ravioli, risotti, stufati, ripieni	Aggiungete qualche foglia nel soffritto o in cottura per insaporire, togliendola dopo qualche minuto. È ottima anche per dare sapore nelle cotture al vapore.
	timo	dolceamaro, aromatico, con note terrose e pungenti	cucina mediterranea, zuppe, stufati, sughi, soffritti, salse, brodi, melanzane, pomodori, cipolle, funghi, aglio, limone	Usatelo fresco o essiccato; aggiungetelo a inizio o a metà cottura.

ingredienti & nutrizione

MA COME FAI
AD ASSUMERE...?

Così cominciano sempre le svariate domande che ogni vegano o vegetariano, prima o poi, si sente porre. Vediamole caso per caso.

LE PROTEINE

Una delle domande più frequenti: "Ma come fai ad assumere abbastanza proteine?".

Le proteine sono diventate, negli ultimi decenni, una vera e propria ossessione. Sono importanti, è vero, ma col passare del tempo sono diventate un nutriente che sembra impossibile assumere a sufficienza, a meno di consumare una quantità elevata di prodotti di origine animale ogni giorno.

Quando, nell'Ottocento, la biochimica nascente scoprì gli amminoacidi e le proteine, nacque anche il concetto di "proteine nobili". La conseguenza deleteria fu quella di bollare i cibi vegetali come alimenti carenti, incompleti e in qualche modo inferiori. Ma perché alcuni cibi sarebbero "nobili" e altri no?

Un breve ripasso sugli amminoacidi

Le proteine sono costituite da lunghe catene di amminoacidi, ripiegate e avvolte più volte su loro stesse. Lo scheletro di tutte le nostre cellule, dei nostri tessuti e dei nostri organi è formato proprio da loro, le proteine.

Sappiamo che, di tutti gli amminoacidi esistenti, sono venti quelli che fanno parte delle proteine. Di questi, il nostro fegato è in grado di sintetizzarne dodici, quelli detti "non essenziali". Gli altri otto sono gli amminoacidi "essenziali", quelli che non produciamo e dobbiamo ricercare obbligatoriamente nel cibo.

Nelle proteine di origine animale gli amminoacidi essenziali si trovano in proporzioni simili a quelle delle proteine umane: da qui nasce l'idea che le proteine animali siano superiori alle altre. Ma non sono stati gli animali a produrre quegli amminoacidi, anzi! Sono state le piante.

Infatti, i vegetali sono gli unici organismi viventi in grado di incorporare l'azoto in molecole organiche. Questo avviene grazie all'aiuto dei batteri azoto-fissatori.

Complete o incomplete?

Chi evita o limita drasticamente i prodotti di origine animale, quindi, non fa altro che andare direttamente alla fonte: nelle piante si trovano tutti gli amminoacidi essenziali, e non potrebbe essere altrimenti, dato che sono proprio i vegetali a sintetizzarli.

Con il termine "proteine incomplete" si indica solamente che uno o più amminoacidi essenziali, in una proteina vegetale, sono contenuti in proporzioni inferiori rispetto a quelle dell'albumina, una proteina estratta dall'albume dell'uomo, presa come riferimento. Le proteine animali sono dette "complete" o "nobili" proprio perché si avvicinano alla composizione di amminoacidi dell'albume, ma questo non significa che le altre proteine siano per forza inferiori. Combinando più vegetali tra loro, infatti, riusciamo tranquillamente a raggiungere livelli sufficienti di tutti gli amminoacidi senza che sia necessario mangiare carne o altri prodotti di derivazione animale.

Se si valutasse la qualità di un alimento ricco di proteine per il suo impatto sull'ambiente e sulla nostra salute, allora la situazione sarebbe completamente ribaltata, e il titolo di proteine nobili se lo guadagnerebbero sicuramente quelle vegetali.

Come assumere abbastanza proteine vegetali, quindi?

Possiamo stare tranquilli: non dobbiamo fare calcoli tutti i giorni per capire se ne abbiamo assunte a sufficienza, basta mangiare una varietà di vegetali diversi. I legumi e i loro derivati contribuiscono al raggiungimento della maggior parte del fabbisogno proteico quotidiano, ma anche i cereali e i loro derivati, la frutta secca, i semi oleosi e le verdure (specialmente di colore verde) forniscono un apporto da tenere in considerazione.

Se la nostra alimentazione è varia e comprensiva di legumi, verdure e cereali, e al contempo soddisfa il nostro fabbisogno calorico, stiamo quasi sicuramente assumendo proteine a sufficienza: non c'è bisogno di una calcolatrice.

Oltretutto, non solo assumeremo proteine a sufficienza, ma, contrariamente a quanto accade con il consumo di proteine di origine animale (che sono per forza di cose accompagnate da grassi saturi, colesterolo e ferro eme), questo non costituirà una minaccia per la nostra salute, e anche un eventuale eccesso proteico non creerà alcun problema. Nel caso, faremo il pieno di fibra, antiossidanti e sostanze fitochimiche protettive.

SENZA LA CARNE
SI POSSONO AVERE
CARENZE PROTEICHE?

La carenza di proteine in chi segue un'alimentazione vegetale è uno dei luoghi comuni più diffusi e infondati. La verità è che, se soddisfiamo il fabbisogno calorico del nostro corpo nell'arco della giornata, quasi certamente sarà soddisfatto anche quello proteico. Cereali, legumi, frutta secca, semi contengono proteine. Se ci nutriamo in maniera varia ed equilibrata possiamo tranquillamente soddisfare la nostra necessità di proteine, anche senza mangiare carne.

IL FERRO

Tra tutti i minerali presenti nel cibo, il ferro è sicuramente uno dei più conosciuti. Quando ci interessiamo di alimentazione, molto spesso la nostra attenzione ricade su di lui. A scuola ci insegnano che il ferro è fondamentale per il funzionamento del nostro organismo, perché trasporta l'ossigeno nel sangue fino a farlo arrivare a tutte le nostre cellule, permette a zuccheri e grassi di essere trasformati in energia e funge da mediatore in importanti reazioni enzimatiche.

Un'altra cosa che ci insegnano è che il consumo di carne è fondamentale per un'adeguata assunzione di ferro. Per questo motivo molte persone, quando si avvicinano a un'alimentazione vegetale, hanno paura di diventare anemiche, proprio per un'insufficiente assunzione di questo minerale. In realtà, molti alimenti di origine vegetale hanno ferro da vendere. Specialmente legumi, cereali integrali, semi oleosi, frutta secca, verdure a foglia verde. Inoltre, il nostro organismo ha elaborato un meccanismo estremamente efficace per quanto riguarda l'assorbimento del ferro contenuto nei vegetali: le cellule del nostro intestino aumentano o diminuiscono l'assorbimento del ferro a seconda delle necessità. In pratica, se le nostre scorte ematiche di ferro scarseggiano, spalancano la porta e ne immagazzinano di nuovo. Se invece abbiamo ferro a sufficienza, lasciano che il ferro in eccesso passi lungo il tubo digerente, fino all'uscita. Ciò non avviene però con il ferro presente nella carne, che invece passa la barriera intestinale in ogni caso, e si deposita nel nostro corpo. Ma depositi troppo elevati di ferro non sono l'ideale per la nostra salute: sono un dimostrato fattore di rischio per lo sviluppo di patologie cardiovascolari. Molto meglio quindi fare affidamento sul ferro dei vegetali, non credete?

Fonti vegetali di **proteine** (per 100 g)

soia secca	36,9 g
pinoli	31,9 g
arachidi	29 g
fave secche	27,2 g
fagioli secchi	23,4 g
lenticchie secche	22,7 g
piselli secchi	21,7 g
ceci secchi	20,9 g
farro integrale	15,1 g

Fonti vegetali di **ferro** (per 100 g)

cacao	14 mg
semi di sesamo	10,4 mg
germe di grano	10 mg
tahina	8,8 mg
fagioli secchi	8 mg
lenticchie secche	8 mg
soia secca	6,9 mg
ceci secchi	6,4 mg
fiocchi d'avena	5,2 mg
cioccolato fondente	5 mg

IL CALCIO

Forse, un altro degli equivoci più comuni riguardanti l'alimentazione vegana è che senza i latticini non si possa raggiungere il nostro fabbisogno di calcio. In ogni caso, fare affidamento soltanto sui derivati del latte per assumere a sufficienza questo minerale non è una grande idea: in questo modo, oltre a fare il pieno di calcio, faremmo anche il pieno di grassi saturi e colesterolo.

Da dove viene il calcio?

Anche in questo caso, gli animali non hanno fabbricato nulla da zero. Le mucche non creano il calcio, ma concentrano nel loro latte ciò che assumono dall'erba che mangiano.

Il calcio è infatti abbondante nel suolo e, passando attraverso le radici, si concentra in molti vegetali.

Come dicevamo per le proteine e per il ferro, è sicuramente più vantaggioso andare direttamente alla fonte, anche perché con i vegetali, oltre al calcio, assumeremo anche moltissime altre sostanze protettive per la nostra salute.

In quali vegetali trovo il calcio?

Tutta la famiglia delle crucifere è molto ricca di calcio: i cavoli, i broccoli, i cavolfiori, ma anche i carciofi, gli agretti, la rucola…

Comunque, non dobbiamo limitarci a cercarlo nella verdura: i legumi ne sono ricchissimi (in particolare la soia) e anche i semi (in particolare il sesamo), la frutta secca, la frutta essiccata, ma anche la semplice acqua del rubinetto.

In ultimo, troviamo anche le bevande e gli yogurt vegetali, ai quali, in alcuni casi, il calcio viene aggiunto durante la produzione. Troverete su alcuni di essi la scritta "fortificato con calcio". Ma, ovviamente, vi invito a non ricorrere solo a questi ultimi, considerandoli dei surrogati dei latticini. Piuttosto, uniteli a un'alimentazione varia, che già di per sé vi offrirà calcio e altre sostanze benefiche a volontà.

Fonti vegetali di **calcio** (per 100 g)

semi di sesamo	1.000 mg
semi di chia	600 mg
mandorle	266 mg
soia	257 mg
semi di lino	256 mg
quinoa secca	200 mg
fagioli cannellini	170 mg
spinaci	150 mg
cicoria	150 mg
ceci	142 mg
cavolo nero	139 mg
fagioli	135 mg
grano saraceno	110 mg
fagiolini	70 mg
lenticchie	50 mg

GLI OMEGA 3

Quando si parla di omega 3, il primo pensiero di tutti è in genere il pesce. In particolare, UN pesce: il salmone.

Ma anche in questo caso c'è un mito da sfatare: i pesci non producono magicamente gli acidi grassi omega 3, ma li accumulano nei loro tessuti, prendendoli dalle alghe.

Purtroppo, però, insieme ai benefici omega 3, accumulano all'interno dei loro stessi tessuti anche metalli pesanti (come il metilmercurio), diossine, antibiotici, microplastiche, etossichine derivanti da mangimi ricchi di antiparassitari (l'uso dell'etossichina è stato proibito 10 anni fa su frutta e verdura, proprio perché dannoso per la salute umana).

Il fatto che la plastica sia un dramma per l'ecologia è ormai ben noto, ma pochi sono al corrente del fatto che le conseguenze di questo disastro ambientale non riguardano soltanto il benessere degli oceani e della fauna marina, ma anche quello di chi consuma i prodotti ittici. La plastica, infatti, si decompone (in centinaia di anni) sciogliendosi in frammenti sempre più piccoli, che vengono accumulati lungo tutta la catena alimentare, a partire dai piccoli microrganismi fino ad arrivare ai pesci piccoli, a quelli di taglia media e infine a quelli più grossi.

Come se non bastasse, gli allevatori molto spesso non si fanno problemi a utilizzare sostanze dannose per evitare funghi e parassiti nei loro pesci, e anche queste sostanze rimangono nei tessuti degli animali.

Alternative vegetali

Oggi non sappiamo quali effetti questo problema avrà sulla salute umana: è ancora presto per poter trarre conclusioni, ma esserne consapevoli è sicuramente un'occasione in più per esplorare le alternative.

Una fonte vegetale ottimale di omega 3 sono i semi di lino e il relativo olio, che si trova abbastanza facilmente nel banco frigo dei supermercati più forniti. Se lo trovate fuori dal frigo, non acquistatelo. Questo olio è molto sensibile al calore, ed è molto importante che la catena del freddo venga rispettata. Potete usarlo sulle vostre insalate, o nei vostri piatti (preferibilmente freddi) di cereali: due cucchiaini al giorno sono sufficienti per fare il pieno di omega 3. Altrimenti io macino dei semi di lino in quantità sufficiente per un paio di settimane, li conservo nel freezer e li verso sullo yogurt ogni mattina. La stessa cosa si può fare con i semi di chia, sempre tritati: la macinazione è necessaria per assumere correttamente gli omega 3 e gli altri nutrienti benefici che contengono, ed è molto importante che venga fatta a freddo, per non farli irrancidire. In alternativa, possiamo ricordarci di consumare noci ogni giorno.

Sia le noci che i semi di lino e di chia macinati vanno benissimo a colazione (per esempio nello yogurt), nelle macedonie o nelle insalate, ma anche nei frullati.

I supplementi di omega 3, in generale, non sono necessari se si assumono cibi di questo tipo (tranne in caso di gravidanza e allattamento, come del resto vale anche per le donne onnivore).

LA VITAMINA B$_{12}$

È senz'altro uno dei punti più dibattuti quando si parla di alimentazione vegetale.

Iniziamo col dire che prendere la vitamina B$_{12}$ è un obbligo e non un'opzione, se si decide di intraprendere un'alimentazione vegetariana o vegana. Non c'è alternativa che tenga: va presa, punto e stop.

Questo, però, non dovrebbe farvi desistere, o peggio ancora, farvi percepire l'alimentazione vegana come "meno valida" delle altre, visto che bisogna prendere un integratore. Ora vi spiego perché, chiarendo uno dei punti più importanti al riguardo.

Dove si trova la B$_{12}$ in natura?

La vitamina B$_{12}$ viene prodotta da batteri presenti nel suolo o dal sistema digerente degli erbivori. Spesso, nella produzione odierna di carne, gli animali non hanno nemmeno (purtroppo) la possibilità di brucare l'erba, essendo costretti a vivere in gabbia e mangiando cibo artificialmente prodotto, all'interno di mangiatoie. Quindi non hanno accesso diretto a questa preziosa vitamina che, come abbiamo detto, è presente nel suolo.

Cosa succede, quindi? Che, nel mondo dell'allevamento, agli animali viene dato un integratore di B$_{12}$ dagli allevatori stessi. Lo sapevate? Basta fare una rapida ricerca online per trovare diversi tipi di vitamina B$_{12}$ per animali da allevamento.

Come accade per tanti altri nutrienti che abbiamo visto finora, quindi, gli animali si limitano ad assorbire questa vitamina e a concentrarla nei loro tessuti, senza fabbricarla da zero.

Fonti vegetali di **omega 3** (per 100 g)

semi di lino	23 g
semi di chia	23 g
semi di canapa	10 g
noci	9 g

Perché prendere un integratore?

Chi mangia carne, dunque, molto spesso si trova ad assumere un integratore per via indiretta. In più c'è da dire che la carne degli animali ci fornisce, oltre alla vitamina B_{12}, anche sostanze poco sane come colesterolo, grassi saturi e ferro-eme. Non credete che sia meglio andare direttamente alla fonte, prendendo una pastiglia talmente piccola da essere quasi invisibile 2 volte a settimana, aromatizzata al gusto che preferiamo? Il risultato sarà un assorbimento uguale, se non superiore, a quello che otterremmo assumendola attraverso i prodotti di origine animale.

E la buona notizia è che non è assolutamente dispendioso: la vitamina B_{12}, in base al marchio, può costare anche meno di 20 euro l'anno. Pensate, invece, a quanto vi può costare un anno di carne, pesce e altri derivati animali.

Infine, c'è un altro fattore positivo: da quando inizierete ad assumere l'integratore di B_{12}, potrete stare certi di avere dei livelli ematici ottimali, il che non vale in automatico per chiunque mangi prodotti di origine animale. Infatti, anche chi mangia carne spesso ha carenze di questa vitamina, sia perché non tutti gli allevatori sono così attenti a somministrarla ai propri animali, sia perché gli animali da allevamento non vivono abbastanza a lungo da accumularne nei tessuti livelli sufficienti.

Attenzione a chi vi dirà di non prenderla

Arriverà qualcuno che vi dirà di essere vegano da molti anni, di non prendere la B_{12} e di avere degli esami perfetti. Vi dirà che non è necessaria, che utilizzare l'alga spirulina (o consumare verdura non lavata o chissà cos'altro) equivale ad assumere la vitamina, con la differenza che quest'ultima è sintetizzata in laboratorio e quindi è un prodotto artificiale e malvagio. Non cascateci, anzi, giocate d'anticipo e prendetela fin dall'inizio, anche se pensate soltanto di diminuire i prodotti di origine animale senza eliminarli del tutto. Non fatevi spaventare dal fatto che si tratti di un integratore! L'eccesso di questa vitamina verrà comunque eliminato tramite le urine e non correrete nessun rischio.

Quale vitamina B_{12} scegliere?

Esistono molti tipi diversi di integratori di vitamina B_{12}. Sicuramente vi suggerisco di farvi consigliare dal vostro medico, ma tendenzialmente si predilige la cianocobalamina sublinguale. Per quanto riguarda il dosaggio, potete consultare il sito della SSNV (Società Scientifica di Nutrizione Vegetariana): www.scienzavegetariana.it

LA VITAMINA D

Viene in larga parte prodotta dal nostro corpo tramite l'esposizione ai raggi solari e va integrata solo in situazioni particolari, che non dipendono dal fatto che l'alimentazione sia a base di vegetali o meno. Piuttosto, la necessità di vitamina D dipende da quanto sole prendiamo, da dove viviamo, dal nostro tipo di pelle e da altri fattori che esulano da ciò che mettiamo nel nostro piatto. Se non viviamo ai tropici e passiamo gran parte dell'anno in casa, è opportuno verificare se c'è una carenza, il che è abbastanza probabile. In ogni caso, ribadisco che la carenza di vitamina D è indipendente dalla nostra alimentazione.

Cosa c'è nella mia
DISPENSA

frutta secca e semi

Sono la mia fonte di grassi sani preferita. Contengono tanta fibra, tante vitamine e fanno benissimo alla salute. Vi consiglio di comprare la vostra frutta secca e i vostri semi preferiti in grandi quantità: questo vi permetterà di risparmiare e di averne sempre una bella scorta. Io tengo a portata di mano solo la quantità che userò a breve e conservo il resto in un contenitore ermetico o, meglio ancora, sottovuoto, in un luogo fresco e asciutto.

frutta essiccata

Io amo la frutta al naturale, ma devo ammettere che la frutta essiccata ha il suo perché. Datteri, fichi secchi, uva passa sono tutti molto dolci ma contengono ancora i benefici della frutta, ovvero le fibre e gli antiossidanti. Sono ottimi da usare nella preparazione di dolci, granole e muesli per la colazione, ma anche per arricchire un semplice yogurt.

burro di frutta secca e semi

Burro di mandorle, di arachidi… adoro aggiungerli alle mie colazioni ma anche spalmarli sopra i cracker o semplicemente sul pane. Se avete un frullatore potente e tanta pazienza, potete anche prepararli in casa, così come la salsa tahina, che è uno dei miei ingredienti preferiti: non è altro che una crema fatta solo con semi di sesamo. Si trova facilmente nei supermercati biologici ed è uno degli ingredienti dell'hummus. Vi consiglio di provare i burri di frutta secca anche come condimento per le vostre insalate, magari insieme a un po' di succo di limone e a un po' di salsa di soia: sono davvero ottimi.

cereali integrali

È sempre bene avere una bella scorta di cereali integrali per essere sicuri di poterli alternare, rendendo così la nostra alimentazione più varia ed equilibrata. Quando si parla di cereali, cercate di scegliere quelli integrali o decorticati, piuttosto che perlati (che significa più raffinati). Nella mia cucina ci sono sempre farro, orzo, diverse tipologie di riso, avena, grano saraceno, quinoa, miglio (anche se, come abbiamo visto, questi ultimi non sono tecnicamente cereali…). Un consiglio: se volete che i vostri cereali si cuociano più velocemente, lasciateli immersi nell'acqua la mattina quando uscite di casa. In questo modo diminuirete il tempo di cottura quasi della metà.

legumi

Ci sono tanti tipi di legumi nella mia cucina: ceci, lenticchie, fagioli, fave… ma principalmente possiamo dividerli in due categorie: quelli secchi e quelli già cotti, conservati nel vetro. Cerco sempre di cuocere quelli secchi, quando riesco, ma la versione già cotta è davvero comoda per aggiungere proteine e fibre ai miei pasti quando sono di fretta. Ricordate che le lenticchie si cuociono molto più velocemente rispetto a ceci e fagioli, essendo molto più piccole: quindi, se siete di fretta e non avete legumi in scatola, potete optare per queste ultime. Quando aprite i legumi in scatola, sciacquateli molto bene con acqua: questo aiuterà a rimuovere residui che possono rendere difficile la digestione.

pasta

Dubito che qualcuno di noi non abbia della pasta in dispensa, quindi andremo veloci su questo punto. Io preferisco mangiare pasta integrale (di grano ma anche di farro o d'orzo) quando sono da sola, perché contiene molte più fibre e mi mantiene sazia a lungo, ma visto che non piace a tutti tengo sempre anche della buona pasta di grano duro, così so che c'è un'alternativa.

dolcificanti

I dolcificanti che tengo sempre in cucina sono zucchero grezzo di canna, zucchero di cocco, sciroppo d'acero e di agave, ma c'è veramente un'infinità di opzioni. Vi consiglio di non abusare dei diversi tipi di dolcificanti light, zero calorie eccetera, perché anche se promettono di non farci ingrassare, alla lunga abitueranno sempre di più il nostro palato a sapori molto dolci, e questo di per sé non è un **bene**.

conserve di pomodoro

Io amo i pomodori, non potrei non avere delle passate o dei pelati in dispensa. Nel reparto delle passate potete trovare quelle rustiche, di datterini, quelle al basilico, i pomodori pelati, le passate già pronte o quelle da cuocere a lungo, da tramutare in meravigliosi sughi fatti in casa. Comunque sia, mi assicuro di averne sempre qualcuna in dispensa, e magari di averne anche un paio da cuocere in poco tempo, in modo tale da riuscire a preparare una cena veloce anche quando ho solo pochi minuti per cucinare.

aceti

Sono fantastici da aggiungere nelle salse, sull'insalata, ottimi per dare sapore a tutto ciò che prepariamo. Gli aceti che tengo sempre in cucina sono l'aceto di mele, di vino bianco e l'aceto balsamico di Modena, ma ogni tanto ne acquisto anche altri, come quello di riso o l'umeboshi.

oli

L'olio extravergine d'oliva, si sa, è il re delle nostre tavole. Oltre all'olio extravergine, tengo sempre in dispensa anche l'olio di semi di girasole e quello di cocco, che sono perfetti da usare al posto del burro per preparare deliziosi dolci. Spesso amo anche acquistare oli particolari, come quello di sesamo o di noci, per variare un po' i miei condimenti.

spezie

Io adoro le spezie e ne ho tantissime: usarle in cucina vi aiuta a dare sapore ai vostri piatti senza dover aggiungere altro sale, olio o zucchero. Se siete alle prime armi non è il caso di procurarvi tutto quello che ho io, ovviamente, ma potete tranquillamente iniziare a usare le quattro o cinque che preferite, per poi aggiungerne altre a poco a poco.

farine, fecola e amido di mais

Mi piace tantissimo sperimentare con le farine e ne ho davvero tante, ma quelle strettamente necessarie (se non siete celiaci o intolleranti al glutine) sono la farina 0, la 1 e l'integrale. Se vi piace preparare pane e pasta in casa, vi consiglio di tenere sempre anche una confezione di semola di grano duro. Ovviamente, per alternare i cereali, mi piace tenere in dispensa farine alternative come quella di farro, di avena o di riso. Accanto alle farine, nella mia cucina troverete sempre una confezione di fecola, molto utile per rendere soffici le preparazioni da forno, e di amido di mais, ottimo per addensare salse e altre preparazioni.

Per conoscere meglio le farine

TIPO DI FARINA	GLUTINE?	RAFFINAZIONE	IMPIEGO IDEALE
farina 00 (frumento)	✓	La più raffinata di tutte, povera di fibre, sali minerali, proteine.	Ottima per dolci e prodotti da forno casalinghi, per panature, o da utilizzare come addensante per salse e creme da cuocere.
farina 0	✓	Molto raffinata, ma leggermente meno della farina 00.	Ottima per dolci e prodotti da forno casalinghi, per panature, o da utilizzare come addensante per salse e creme da cuocere.
farina Manitoba	✓	La Manitoba non è altro che una farina 0 con un maggior quantitativo proteico, per cui è comunque molto raffinata.	Perfetta per le lunghe lievitazioni, grazie al suo maggior quantitativo proteico e alla maggiore "forza".
farina 1	✓	Contiene un quantitativo abbastanza alto di crusca e germe di grano, quindi di sostanze nutritive utili per l'organismo.	Si usa molto per pane, pizza, dolci rustici, prodotti da forno.
farina 2	✓	Detta anche farina semintegrale, è una farina poco raffinata e ricca di sostanze nutritive.	Lievita più lentamente e meno rispetto alla 0 e alla 00, proprio per il fatto di essere meno raffinata. Si usa per pane, pizza, dolci rustici, prodotti da forno.
farina di frumento integrale	✓	Contiene l'intero chicco di frumento, macinato con tutte le sue parti: questo la rende la farina più ricca di minerali e proteine.	È più difficile da lavorare rispetto alle farine raffinate, ma è ottima per preparare pane, pizze e altri prodotti da forno. Nei dolci spesso viene "tagliata" (cioè mescolata) con farine più raffinate, proprio per la sua difficoltà di lievitazione e per il suo sapore deciso.
semola di grano duro	✓	È molto proteica; il suo colore giallo ambrato e la granulometria maggiore la differenziano dalla farina di grano tenero.	È spesso utilizzata per preparare la pasta e il pane, ma è molto utile anche per le panature.
semola di grano duro integrale	✓	La versione integrale è ancora più proteica rispetto alla semola normale. Ha un colore giallo scuro ed è caratterizzata da una granulometria maggiore rispetto alle farine di grano tenero.	È spesso utilizzata per preparare la pasta e il pane, ma è molto utile anche per le panature. Ha un sapore più deciso di quella non integrale.
farina di farro, orzo, Kamut	✓	Possono essere più o meno raffinate, come la farina di frumento.	Sono farine dagli utilizzi molto simili a quelli delle farine di frumento.
farina di avena	✗*	Solitamente se ne trovano di due tipi: farina di avena classica e integrale.	È molto usata nel Nord Europa per fare il porridge, ma è adatta anche per dolci, torte salate, pane e altri prodotti da forno.
	* Dipende: l'avena è naturalmente priva di glutine, ma solitamente viene lavorata in stabilimenti dove si lavorano altri cereali, quindi è spesso contaminata. Se siete celiaci o intolleranti, cercate farine di avena certificate senza glutine.		

TIPO DI FARINA	GLUTINE?	RAFFINAZIONE	IMPIEGO IDEALE
farina di riso	×	Solitamente se ne trovano di due tipi: farina di riso classica e integrale.	Si presta bene alla preparazione di biscotti, dolci e pane, anche se, non avendo potere legante, spesso viene usata insieme a farine contenenti glutine. È ottima come addensante.
farina di legumi	×	In commercio possiamo trovare farine di legumi interi, ovvero ottenute da legumi con la buccia, e farine di legumi decorticati, leggermente più digeribili.	Ottima per la preparazione di vellutate o per gli impasti di farinate, pane o focacce. Questa farina è molto utile anche per addensare l'impasto di burger o polpette vegetali.
farina di quinoa	×	Non ci sono gradi di raffinazione.	Può essere utilizzata per i prodotti da forno, ma è bene tenere presente il suo scarso potere lievitante. Meglio impiegarla nelle ricette di dolci poco lievitati, come i biscotti.
farina di grano saraceno	×	Non ci sono gradi di raffinazione.	Si può usare per preparare pane e pasta, specialmente se è tagliata con altre farine, ma è anche piuttosto popolare nei dolci. Un consiglio: tenete presente che il suo sapore è molto… insistente!
farina di frutta secca	×	Non ci sono gradi di raffinazione.	È molto utilizzata per la preparazione di dolci, dessert al cucchiaio, prodotti da forno, biscotti e creme.
farina di castagne	×	Non ci sono gradi di raffinazione.	Combinandola con la farina di frumento o la semola di grano duro possiamo preparare della pasta, come le fettuccine fatte in casa. Oppure, aggiungendo delle patate lessate, possiamo preparare degli gnocchi. Ottima anche per la preparazione di dolci.
farina di mais	×	Si trova nella versione classica o integrale.	Usatissima per la preparazione della polenta, ma anche per piadine o tortillas, dolci, pasta e prodotti da forno, specialmente per gli intolleranti al glutine.
fecola	×	Non ci sono gradi di raffinazione.	Ottima per addensare creme e vellutate, si può usare anche per sostituire le uova nei dolci.
amido di mais	×	Non ci sono gradi di raffinazione.	Può essere impiegato come addensante in minestre, zuppe e creme. La sua caratteristica è quella di formare una miscela traslucida e non opaca: un fatto che lo rende molto apprezzato nei budini. Ottimo anche per la preparazione di panature croccanti.

Cosa c'è nel mio FRIGORIFERO

MARMELLATA

VASETTI DI LEGUMI APERTI

LATTE VEGETALE

OLIVE E ALTRI SOTTOLI

FORMAGGI VEG

BURRO DI FRUTTA SECCA

MISO

QUALCOSA CHE HO CUCINATO NEI GIORNI PRECEDENTI

FRUTTA E VERDURA FRESCHE

Cosa c'è nel mio FREEZER

PASTA FROLLA AVANZATA

SEMI DI LINO TRITATI

OLIO CON ERBE AROMATICHE

LEGUMI E VERDURE CONGELATI

PANE

SOFFRITTO PRONTO ALL'USO

PASTA FRESCA CONGELATA

SUGO E PESTO PREPARATI IN ABBONDANZA E POI CONGELATI

CEREALI IN MONOPORZIONE

BANANE E ALTRA FRUTTA
(congelo la frutta per non dover buttare ciò che sta per andare a male e che so non farò in tempo a consumare; una volta congelata, può tornare utile per preparare dei gustosi frullati)

Cosa c'è nella mia CUCINA

attrezzatura da cucina

UN BUON COLTELLO DA CUCINA
MESTOLI
TAGLIERI
SCHIUMAROLA
SPATOLA
APRISCATOLE
PELAVERDURE
COLINI E SCOLAPASTA
MATTERELLO
BILANCIA
LECCAPENTOLE
CAFFETTIERA
MACINACAFFÈ
MORTAIO
SCHIACCIAPATATE
SCHIACCIANOCI
TASCA DA PASTICCIERE + PUNTE
TEGLIE
TORTIERE DI VARIE MISURE
MACCHINA PER LA PASTA

pentole

PADELLE DI VARIE DIMENSIONI
CASSERUOLA PICCOLA
CASSERUOLA GRANDE
PENTOLA DA 2-3 LITRI
PENTOLA DA 5 LITRI
PENTOLA DA 8-10 LITRI
PENTOLA IN GHISA

elettrodomestici

MIXER
FRULLATORE
MINIPIMER (O FRULLATORE A IMMERSIONE)
IMPASTATRICE
BOLLITORE

ingredienti & nutrizione

MACINACAFFÈ È uno strumento perfetto per macinare non soltanto il caffè, ma anche semi di tutti i tipi, specialmente quelli di lino: ottimi per essere usati come addensante o come integratore naturale di acidi grassi omega 3, dei quali sono particolarmente ricchi.

COLTELLI La cosa che stupisce di più chi si avvicina alla cucina per la prima volta è che non serve avere un intero set di coltelli: uno o due coltelli da cucina ben affilati e taglienti sono tutto ciò che vi serve, e tutto ciò che persino ogni grande chef utilizza, salvo eccezioni. Vi consiglio di non lavarli mai in lavastoviglie, ma di sciacquarli con acqua fredda dopo ogni utilizzo e di asciugarli bene.

PENTOLA IN GHISA
È uno strumento non indispensabile, ma ottimo per cuocere il pane nel forno di casa in maniera perfetta, oltre che per cuocere legumi, minestre e zuppe. Questo materiale, infatti, accumula calore, lo trattiene e lo rilascia gradualmente, cuocendo gli alimenti in maniera uniforme, anche a fornello spento.

MIXER E FRULLATORE
Sono i miei migliori alleati in cucina. Senza di loro, non so cosa farei! Ne esistono di tutti i tipi e di tutti i prezzi: per esperienza personale vi consiglio di investire un po' di più per questi due strumenti, perché li userete moltissimo. Un prodotto di qualità, in questo caso, fa davvero la differenza.

IMPASTATRICE È un attrezzo non strettamente necessario, ma molto utile per lavorare gli impasti senza fare fatica. Basta impostare il tempo e la potenza, e lei farà tutto il lavoro al nostro posto. Uno strumento che ho rivalutato moltissimo, perfetto per chi prepara pane, pasta e pizza in casa frequentemente.

LA SPESA

Eccoci arrivati. La spesa è l'occasione in cui possiamo esprimere al meglio, o al peggio, la nostra condizione di consumatori consapevoli e responsabili. Fare la spesa è qualcosa che si impara di volta in volta: come non scegliere il prodotto sbagliato, come risparmiare, come rispettare l'ambiente, sempre per mezzo delle nostre piccole scelte. A decidere siamo sempre noi, perciò è utile attrezzarsi, con qualche accorgimento, per una spesa che sia possibilmente all'insegna del risparmio e senza sprechi.

COME SCEGLIERE

Ecco qualche consiglio per diventare consumatori sempre più consapevoli.

Essere consapevoli di cosa si acquista

Se si vuole iniziare a fare una spesa più sana, un'ottima idea è controllare sempre la lista degli ingredienti in etichetta, soprattutto di ciò che è prodotto industrialmente: potremmo scoprire che quel muesli che acquistavamo per la colazione ha come primo ingrediente lo zucchero, o che i gelati confezionati che stavamo per comprare contengono moltissimi coloranti, e che c'è un'alternativa molto più sana proprio accanto.

Non farsi ingannare dal marketing

Avete mai sentito parlare di sale senza OGM? O di olio d'oliva con omega 3? Spesso le caratteristiche che vengono sbandierate sulle confezioni come se fossero un fatto eccezionale sono in realtà comuni a tutta la categoria... tutto il sale è senza OGM, tutto l'olio d'oliva contiene omega 3, non soltanto quello specifico prodotto di quel determinato brand. Riportare alcune caratteristiche sull'etichetta è una recente trovata di marketing, utilizzata per cercare di differenziare il prodotto da altri per renderlo più appetibile agli occhi del consumatore. Con un po' di pratica riusciremo subito a capire quali etichette ci danno informazioni reali e quali annunciano solo banalità.

Guardare su e giù

Il comportamento più diffuso tra noi consumatori è comprare ciò che sta all'altezza dei nostri occhi o delle nostre mani, perché è ciò che notiamo prima ed è anche più facile da raggiungere. Qualsiasi sia il reparto, se guardiamo in alto e in basso noteremo con tutta probabilità che vi sono prodotti molto simili, ma che costano meno, in proporzione, se li paragoniamo a quelli riposti sui ripiani centrali.

ECOLOGIA

Proteggere l'ambiente mentre facciamo la spesa? È possibile e dipende da quello che scegliamo di acquistare. Ecco cosa possiamo fare.

Evitare gli imballaggi di plastica

La plastica sta letteralmente inondando il nostro pianeta. Se è vero che acquistare frutta e verdura già confezionate, con l'etichetta già attaccata, può farci risparmiare del tempo, è anche vero che faremo meglio a non comprare prodotti inutilmente confezionati se vogliamo che questa tendenza a utilizzare plastica anche quando non è necessaria diminuisca. Quindi, se la scelta c'è, prendiamo l'abitudine di pesare la nostra frutta e la nostra verdura. Spesso il sacchetto messo a disposizione dai supermercati è fatto di amido, quindi compostabile, e si può buttare nell'umido. Ma anche se il sacchetto fosse di plastica, sarebbe comunque uno spreco molto inferiore rispetto al comprare una vaschetta rigida, fatta apposta per essere gettata.

Evitare i cibi già tagliati

Spesso ciò che è già tagliato costa di più rispetto allo stesso articolo integro, che noi a casa potremmo facilmente tagliare. In generale, è sempre meglio comprare la frutta e la verdura intere anziché tagliate a pezzi, per risparmiare plastica e denaro, ma anche per avere prodotti che durano di più.

Quando è possibile, scegliere ciò che è riciclabile o riciclato

Sono molti i brand che dedicano particolare attenzione all'ambiente. Carta, tovaglioli, quaderni fatti di carta riciclata, ma anche packaging di shampoo, prodotti per la pulizia della casa e detersivi in flaconi di plastica riciclata. Oltre a dare una piccola mano all'ambiente, dobbiamo ricordarci che ogni nostra scelta rientra all'interno di statistiche sui comportamenti dei consumatori: più aumenterà la tendenza ad acquistare questo tipo di prodotti, più le aziende cercheranno di produrne, dando quindi un aiuto "in grande" all'ambiente.

Preferire i prodotti locali

Siete indecisi tra due o più prodotti, simili nell'aspetto e nel prezzo? Guardate da dove vengono. Certamente sarà meglio, dal punto di vista ecologico, scegliere i pomodori italiani, le mele provenienti dalla vostra zona, i legumi e i cereali nostrani, quando è possibile.

Per quanto riguarda la frutta esotica cercate, se riuscite, di limitarne il consumo o di trovare alternative italiane: per esempio scegliendo gli avocado siciliani, buonissimi, che non devono fare migliaia e migliaia di chilometri per arrivare nel nostro frigorifero. Anche scegliere di comprare dai piccoli produttori, come il mulino della campagna vicino a casa che vende le farine, l'olio dell'agricoltore del paesino accanto, o la frutta del fruttivendolo sotto casa, che raccoglie i prodotti della nostra zona, è un'ottima idea e ci aiuta a essere, giorno dopo giorno, dei consumatori consapevoli. In più, la qualità dei prodotti dei piccoli produttori spesso è altissima!

RISPARMIO

Per finire, il nostro modo di scegliere influisce anche, ovviamente, sul nostro portafoglio. Non si tratta tanto di privilegiare i prodotti meno cari (anzi, spesso ha senso spendere un po' di più se a questo corrisponde una migliore qualità del prodotto), quanto di evitare sprechi e spese inutili.

Fare la spesa a stomaco pieno

Questo probabilmente è un consiglio che avete sentito molte volte e già sperimentato su voi stessi, ma è utile ribadirlo, specialmente se state cercando di seguire un'alimentazione più sana. È molto facile, se si ha fame, cadere in tentazione e acquistare qualcosa di pronto, che si potrà mangiare già all'uscita, oltre a una marea di prodotti non necessari per le nostre dispense, e quasi sempre poco sani.

Preparare una lista e seguirla

Controllare ciò che si ha in casa è un'ottima idea se non vogliamo comprare prodotti che abbiamo già. E fare una lista è un'ottima idea anche per attenersi a ciò che ci serve, senza cadere nella tentazione di fare acquisti impulsivi di prodotti di cui non abbiamo bisogno.

Abbondare con i prodotti durevoli

Quando si tratta di prodotti durevoli, come cereali, legumi, farine, ma anche detersivi, saponi e quant'altro, possiamo decidere di fare una bella scorta e non pensarci più per un bel po'. Spesso risparmieremo, specialmente se i prodotti in questione sono in promozione, e ci toglieremo il pensiero di doverli acquistare frequentemente.

Lista della spesa
da fotocopiare e usare a volontà

FRUTTA FRESCA

- ANANAS
- ANGURIA
- ARANCE
- AVOCADO
- BANANE
- FICHI
- FRUTTI DI BOSCO
- LIME
- LIMONI
- MANDARINI
- MANGO
- MELE
- MELOGRANO
- MELONE
- PAPAIA
- PERE
- PESCHE
- PRUGNE
- UVA

VERDURA, ORTAGGI, TUBERI

- AGLIO
- ASPARAGI
- BARBABIETOLE
- BIETOLE
- BROCCOLI
- CAROTE
- CARCIOFI
- CAVOLFIORE
- CAVOLINI DI BRUXELLES
- CAVOLO RICCIO
- CAVOLO ROMANO
- CAVOLO VERZA
- CETRIOLI
- CIPOLLE
- ERBETTE
- FUNGHI
- GERMOGLI
- MAIS
- MANIOCA
- PATATE
- PATATE DOLCI
- PEPERONCINO
- PEPERONI
- POMODORI
- PORRI
- RAVANELLI
- SEDANO
- SPINACI
- ZENZERO
- ZUCCA
- ZUCCHINE

CEREALI

- AMARANTO
- AVENA
- BULGUR
- CUSCUS
- FARINA
- FARRO
- GRANO
- GRANO SARACENO
- KAMUT
- MAIS
- MIGLIO
- ORZO
- PASTA
- PANE
- QUINOA
- RISO
- SORGO

LEGUMI

- CECI
- EDAMAME
- FAGIOLI
- FAGIOLINI
- LENTICCHIE
- PISELLI

PRODOTTI SURGELATI

- CEREALI GIÀ COTTI
- FRUTTA
- LEGUMI PRONTI
- SORBETTI ALLA FRUTTA
- SPEZIE
- VELLUTATE E ZUPPE
- VERDURA

BEVANDE

- ACQUA
- ACQUA DI COCCO
- CAFFÈ
- KOMBUCHA
- SUCCO
- TÈ
- VINO

DISPENSA

- ALGHE
- ANACARDI
- BICARBONATO
- CACAO
- CIOCCOLATO FONDENTE
- CRAUTI
- CREMORTARTARO
- DADO VEGETALE
- FRUTTA ESSICCATA (FICHI, UVA PASSA ECC.)
- HUMMUS
- KIMCHI
- LEGUMI IN LATTINA
- LEGUMI SECCHI
- LIEVITO ALIMENTARE
- LIEVITO DI BIRRA
- LIEVITO MADRE
- LIEVITO PER DOLCI
- MANDORLE
- NOCCIOLE
- NOCI
- NOCI PECAN
- OLIO DI COCCO
- OLIO DI OLIVA
- OLIO DI SEMI
- OLIO DI SESAMO
- OLIO DI VINACCIOLI
- OLIVE
- PANGRATTATO
- POMODORI SECCHI
- SALE (FINO E GROSSO)
- SALSA DI MELE
- SEMI DI CHIA
- SEMI DI GIRASOLE
- SEMI DI LINO
- SEMI DI PAPAVERO
- SEMI DI SESAMO
- SEMI DI ZUCCA
- SUGHI E PASSATE
- TÈ IN BUSTINE
- TISANE
- UVA PASSA
- VANIGLIA
- VERDURE SOTT'OLIO

DOLCIFICANTI

- AGAVE
- DATTERI
- SCIROPPO D'ACERO
- ZUCCHERO DI COCCO
- ZUCCHERO GREZZO DI CANNA

CONDIMENTI

- MISO
- MOSTARDA
- SALSA DI SOIA
- SALSE VARIE
- SUCCO DI LIMONE
- TAHINA
- TAMARI

ERBE AROMATICHE

- ALLORO
- BASILICO
- CERFOGLIO
- CORIANDOLO
- CUMINO
- ERBA CIPOLLINA
- FINOCCHIETTO
- MAGGIORANA
- MENTA
- ORIGANO
- PREZZEMOLO
- ROSMARINO
- SALVIA
- SEMI DI FINOCCHIO
- TARASSACO
- TIMO

SPEZIE

- AGLIO TRITATO
- ANICE STELLATO
- CAJUN
- CANNELLA
- CARDAMOMO
- CHIODI DI GAROFANO
- CIPOLLA TRITATA
- CURCUMA
- CURRY
- GARAM MASALA
- NOCE MOSCATA
- PAPRICA
- PEPE BIANCO
- PEPE DI CAYENNA
- PEPE NERO
- PEPE ROSA
- PUMPKIN PIE SPICE
- ZAFFERANO
- ZENZERO

SNACK

- BARRETTE
- BISCOTTI
- CAROTE BABY
- CHIPS DI FRUTTA
- CRACKER
- GALLETTE
- MIX DI FRUTTA SECCA
- POPCORN

LEGGERE LE ETICHETTE

Essere in grado di leggere le etichette è fondamentale per sapere cosa stiamo comprando, cosa c'è dentro e valutare se stiamo facendo la scelta giusta. Negli ultimi anni, grazie a norme nazionali ed europee, le etichette sono diventate sempre più dettagliate e ricche di informazioni utili per orientarci. Una legge prevede che gli ingredienti utilizzati per un determinato prodotto siano elencati in base alla quantità, partendo da quello più presente. In alcuni casi, addirittura, vengono riportate le percentuali. Immaginiamo, per esempio, di dover acquistare del muesli per la colazione: meglio quello che ha lo zucchero come secondo ingrediente o come ottavo? Sicuramente la seconda opzione suona come quella più salutare. Lo stesso vale per l'hummus preconfezionato: meglio quello che ha l'olio di semi (purtroppo negli hummus industriali spesso non viene utilizzato il più caro olio d'oliva) come secondo ingrediente, subito dopo i ceci, o come quarto o quinto? Direi, anche in questo caso, che è da privilegiare la seconda opzione. In sostanza, quando valutiamo l'acquisto di un alimento e siamo intenti a paragonare i prezzi e le quantità, dovremmo considerare anche (e soprattutto) la presenza dell'ingrediente caratterizzante, controllando che effettivamente sia citato tra i primi ingredienti.

Allo stesso modo, è conveniente anche controllare la presenza di quegli ingredienti che non stiamo affatto cercando (oli e grassi poco sani, zuccheri, troppo sale…), accertandoci che non ci siano, o che siano verso la fine dell'elenco. Per quanto riguarda invece gli allergeni come soia, latte, uova, frutta secca, glutine ecc., dobbiamo tenere presente che questi sono sempre evidenziati in grassetto o sottolineati, per facilitarne l'individuazione.

"PUÒ CONTENERE TRACCE DI…"

Questa dicitura può essere parecchio fuorviante quando stiamo cercando di eliminare alcuni alimenti dalla nostra routine. Spesso ricevo e-mail e messaggi di persone confuse, che davanti a questa dicitura non sanno se acquistare o meno un prodotto. Se c'è scritto che "può contenere tracce di uova" è vegano o no? La risposta è semplice: se un prodotto riporta una frase come "può contenere tracce di latte", non dovete preoccuparvi. È comunque vegano: queste scritte vengono inserite sulla confezione per precauzione dall'azienda che lo produce. Perché? Perché se è stato lavorato nello stesso edificio o capannone o laboratorio dove si preparano anche prodotti che contengono latte, uova o altri allergeni, una parte infinitesimale di questi ingredienti potrebbe essere presente anche in ciò che stiamo per acquistare. Però appunto, si tratta di un'eventualità, non di una certezza, e si parla sempre di quantità davvero minime.

Un esempio? Pensiamo a del cioccolato fondente proveniente da un'azienda che vende anche cioccolato al latte. Il fondente non contiene latte nella sua ricetta, ma potrebbe contenerne delle tracce perché i due cioccolati vengono lavorati o impacchettati a distanza di pochi metri.

"Può contenere tracce di…" è quindi principalmente una dicitura che le aziende usano per tutelarsi: se per sbaglio un cliente fortemente allergico al latte ingerisce quel prodotto, che magari contiene un microgrammo di latte in polvere, finito lì dentro per errore, allora sono guai. Per il cliente, che rischia gravi problemi di salute, e per l'azienda, che potrebbe trovarsi a dover risarcire i danni. Se non siete allergici, non preoccupatevi. Comprate senza timore ciò che "può contenere tracce di". Non smetterete di essere vegani, state tranquilli.

VALORI NUTRIZIONALI

Sull'etichetta troviamo spesso anche la dichiarazione nutrizionale, ovvero una piccola tabella che riporta i valori nutrizionali per 100 g di prodotto, con la percentuale rispetto al fabbisogno giornaliero (quasi sempre presente). Possiamo così conoscere la quantità di grassi, carboidrati, proteine, zuccheri, sale, fibre, vitamine e sali minerali di ciò che stiamo comprando, con annesse anche le calorie. Dare un'occhiata ai valori nutrizionali è fondamentale per capire quali sono le sostanze nutritive contenute in ciò che stiamo comprando, ma vi consiglio, a meno che non stiate seguendo una dieta o soffriate di problemi di salute, di non fissarvi troppo su questo aspetto.

Se acquistate prevalentemente prodotti sani, e controllate che nella lista degli ingredienti non ci siano presenze indesiderate, siete già ampiamente a posto. L'unico valore che vi consiglio di tenere sott'occhio è il sale nei prodotti da forno, che idealmente non dovrebbe superare 1,7-1,8 g su 100 g di prodotto.

COME SOSTITUIRE GLI INGREDIENTI DI ORIGINE ANIMALE

1 UOVO =

PREPARAZIONI DOLCI

— 1 cucchiaio di semi di lino tritati + 3 cucchiai di acqua (mescolate e lasciate riposare per 5 minuti)
— 1 cucchiaio di semi di chia tritati + 4-5 cucchiai di acqua (mescolate e lasciate riposare per 7-8 minuti)
— 1/2 banana schiacciata
— 4 cucchiai di salsa di mele
— 3 cucchiai di burro di mandorle
— 60 g di tofu vellutato

PREPARAZIONI SALATE

— 60 g di tofu vellutato o tofu normale
— 2 cucchiai di farina di ceci
— 1 cucchiaio di semi di lino tritati + 3 cucchiai di acqua (mescolate e lasciate riposare per 5 minuti)
— 1 cucchiaio di semi di chia tritati + 4-5 cucchiai di acqua (mescolate e lasciate riposare per 7-8 minuti)

125 ml di PANNA =

— 125 ml di panna vegetale
— 125 ml di latte di cocco (quello in lattina, più denso)
— 125 ml di latte di soia + 1 cucchiaio di succo di limone (mescolate, portate a bollore e lasciate raffreddare)

100 g di BURRO =

— 100 g di burro di mandorle (o di altra frutta secca)
— 80 g di olio di semi
— 100 g di olio di cocco
— 100 g di olio di oliva

100 ml di LATTE =

— 100 ml di latte vegetale (attenzione: per le preparazioni salate, assicuratevi che non contenga zucchero o aromi come la vaniglia)

Come utilizzare le bevande vegetali in cucina

BEVANDA VEGETALE	IMPIEGO	CONSIGLI UTILI
latte di soia	Ottimo in ogni tipo di preparazione.	È il latte vegetale migliore per fare il cappuccino: si monta benissimo.
latte di riso	In preparazioni dolci, da bere freddo, nei frullati.	Il suo sapore dolce non lo rende adatto alle preparazioni salate. In più, non dà il suo meglio nelle bevande calde, ma è ottimo per i dolci e nelle bevande fredde.
latte di mandorla	In preparazioni dolci, da bere a colazione, nei frullati, insieme a tè e caffè.	Piace a tutti, è amatissimo anche dai bambini: è perfetto per i dolci, nei frullati, nel tè e nel caffè. Unica pecca: non dà i risultati del latte di soia, se montato.
latte di avena	Ottimo in ogni tipo di preparazione.	Se lo utilizzate per preparazioni salate, occhio agli ingredienti: molto spesso vengono aggiunti zuccheri o aromi.
latte di cocco	Ottimo per dolci, per smoothie e frullati o da bere al naturale.	Con il suo sapore naturalmente dolce e molto aromatico, è perfetto nei dessert o nelle bevande alla frutta. È il latte più grasso e meno sostenibile tra tutte le opzioni vegetali: meglio consumarlo con moderazione.
altri (nocciola, canapa, quinoa ecc.)	Meglio utilizzarli nelle preparazioni dolci, perché nei salati il loro sapore potrebbe essere invadente.	Ottimi per variare, ma con un occhio agli ingredienti: molto spesso vengono aggiunti zuccheri o aromi.

BILANCIARE I GRUPPI ALIMENTARI

Se tutti i gruppi alimentari sono rappresentati da quello che mangiamo nel corso della giornata e il nostro fabbisogno calorico viene raggiunto, quasi sicuramente staremo assumendo tutti i nutrienti di cui necessitiamo. Ovviamente sarà necessario integrare la vitamina B12.

Di seguito vi lascio alcune linee guida utili da seguire all'inizio, create da una mia amica, la dottoressa Silvia Goggi: vi garantisco che pian piano seguirle diventerà qualcosa di automatico. In più, a pagina 53 troverete qualche esempio di menu bilanciato da cui prendere spunto.

— Mangiare cibi vegetali proteici almeno 2 volte al giorno (es. latte di soia a colazione e hummus di ceci a pranzo).

— Mangiare cereali a ogni pasto, possibilmente variando nel corso della giornata (es. corn flakes di mais a colazione, farro a pranzo e pane integrale a cena).

— La verdura deve essere presente a ogni pasto principale, quindi a pranzo e a cena (es. pasta con pesto di rucola e verdura in pinzimonio a pranzo, farro alle cime di rapa e insalata con pomodori e carote a cena).

— Mangiare almeno 2-3 frutti al giorno; la frutta è perfetta per spezzare la fame tra i pasti, ma non c'è da aver timore di mangiarla a fine pasto, se non si hanno problemi a digerirla.

— Non dimenticare frutta secca e semi (es. burro di arachidi sul pane a colazione e una manciata di noci come snack nel pomeriggio).

— Ricordarsi del calcio! (Es. mangiando frutta secca e semi, utilizzando bevande vegetali fortificate, consumando verdure a foglia verde o della famiglia delle crucifere, fichi secchi... se seguite le altre linee guida, il calcio ci sarà in automatico).

— E ricordarsi anche degli omega 3 (es. 1 cucchiaino di olio di semi di lino sull'insalata + noci come spuntino).

— Integrare la vitamina B12.

— Usare sale iodato, senza esagerare.

COSA SIGNIFICA "UNA PORZIONE"?

Le porzioni giuste variano per ciascun individuo, in base a peso, altezza, livelli di attività fisica. Qui di seguito trovate dei valori medi.

cereali da colazione: 30-50 g
cereali in chicco: 60-100 g (peso da crudi)
pane (meglio integrale): 60-120 g
pasta (meglio integrale): 60-120 g
patate: 150-300 g (peso da crude)
legumi secchi: 45-60 g
legumi cotti: 120-180 g
tofu: 80-150 g
yogurt di soia: 125-150 g
latte di soia: 200-300 ml
frutta secca / semi: 30-60 g al giorno in totale
verdura: almeno 500 g al giorno (da cruda)
frutta: almeno 400 g al giorno (ovvero circa 2-3 frutti)
olio: 1-2 cucchiai a pasto

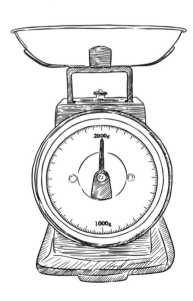

Alimentazione vegana bilanciata: esempio di menu per una settimana

	COLAZIONE	SPUNTINO	PRANZO	MERENDA	CENA
LUNEDÌ	pane di segale con marmellata e fragole fresche + cappuccino di soia	4 fichi secchi	lasagne al ragù di ceci e verdure + insalata fresca con mele e noci	arancia + mandorle	minestra di orzo con fagioli, zucca e porcini
MARTEDÌ	porridge di fiocchi di avena e latte di mandorle con mela, cannella e burro di arachidi (1 cucchiaino)	1 banana	pasta integrale con broccoli, pomodori secchi e mandorle + hummus con zucchine e carote	2 datteri + qualche mandorla	riso integrale e tofu in agrodolce + insalata di rucola con verdure saltate in padella, condita con 2 cucchiaini di semi di lino
MERCOLEDÌ	spremuta + pane integrale con burro di arachidi (1 cucchiaino) e marmellata	1 manciata di noci	pasta di grano saraceno con piselli + insalata misticanza con carote, pomodorini, semi di sesamo	1 mela + 1 yogurt di soia	riso integrale con verdure saltate + hummus di ceci con sedano e finocchi crudi
GIOVEDÌ	caffellatte con 3 biscotti di farro + 1 mela	1 manciata di mix di frutta secca	farro con ceci e verdure mediterranee	2 pesche	tagliatelle al ragù di lenticchie + carpaccio di verdure crude
VENERDÌ	torta alle carote senza glutine + qualche fragola	1 mela a fettine con burro di mandorle (1 cucchiaino) e semi a piacere (2 cucchiaini)	piadina integrale con hummus e verdure grigliate	hummus avanzato con carote e sedano a fettine	farro con verdure di stagione e tofu + insalata
SABATO	toast con pane di segale e mezzo avocado + mandorle in scaglie e pomodorini	qualche fetta di ananas	spaghetti al pomodoro + hummus con verdure crude	frullato fatto con: frutti di bosco, 1 banana, latte di soia e semi di lino (1 cucchiaio)	dahl di lenticchie rosse con riso integrale e spinaci
DOMENICA	caffellatte con latte di avena con muesli alla frutta secca + 1 pera spolverata di cannella	1 manciata di noci	polenta con lenticchie in umido + insalata di finocchi, arance e uva passa	1 mela	pizza con pomodoro e verdure di stagione

ingredienti & nutrizione

STAGIONALITÀ

Seguire la stagionalità degli ingredienti fa bene a noi, al portafoglio e all'ambiente. Mangiare di stagione vuol dire prima di tutto mangiare frutta e verdura più saporite! Scegliendo prodotti freschi e raccolti secondo la loro maturazione naturale, porteremo sulle nostre tavole dei sapori autentici e unici. In aggiunta, cambiare i cibi in tavola secondo le stagioni vuol dire diversificare in automatico l'apporto di vitamine, sali minerali e altri nutrienti di cui il nostro organismo ha bisogno.

Oggi possiamo trovare praticamente ogni tipo di frutta e verdura, specialmente nei supermercati, durante tutto l'anno. Per garantire questa disponibilità infinita, però, bisogna sostenere costi maggiori, che verranno inevitabilmente inclusi nel prezzo finale dei prodotti. Questi costi sono:

— le maggiori spese per la produzione fuori stagione, ovvero per gli artifici che sfidano il clima avverso, come additivi per la coltivazione o il ricorso a serre riscaldate;

— i costi di conservazione, per esempio all'interno delle celle frigorifere;

— i costi per il lungo trasporto dai Paesi in cui il prodotto è di stagione fino al nostro supermercato.

I maggiori costi sono economici e ambientali. Un TIR che attraversa l'Europa carico di frutti esotici, le celle frigorifere che conservano le verdure per settimane e la produzione in serre riscaldate mentre fuori è inverno sono tutte attività che consumano energia, benzina (combustibili fossili) e aria pulita.

Pensiamo anche alla biodiversità: perché desiderare a tutti i costi dei prodotti fuori stagione, quando il nostro Paese è in grado di produrre un'immensa varietà di frutta e verdura in ogni periodo dell'anno?

Scegliamo dunque le verdure nel mese giusto, così da evitare che il prezzo sia esagerato. E scegliamo prodotti locali, possibilmente anche biologici. La filiera corta è la prima garanzia che il cibo che portiamo in tavola sia davvero fresco e genuino.

ingredienti & nutrizione

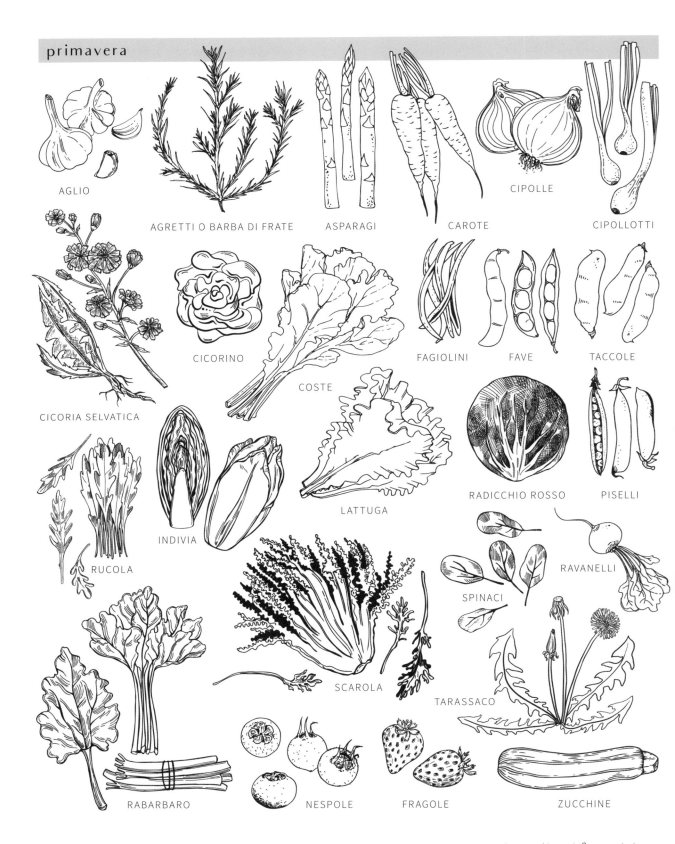

AGLIO

AGRETTI O BARBA DI FRATE

ASPARAGI

CAROTE

CIPOLLE

CIPOLLOTTI

CICORINO

COSTE

FAGIOLINI

FAVE

TACCOLE

CICORIA SELVATICA

RADICCHIO ROSSO

PISELLI

RUCOLA

INDIVIA

LATTUGA

RAVANELLI

SPINACI

SCAROLA

TARASSACO

RABARBARO

NESPOLE

FRAGOLE

ZUCCHINE

ingredienti & nutrizione

ALBICOCCHE

CILIEGIE

SCALOGNI

CIPOLLE ROSSE

PRUGNE

PESCHE

MELONI

LIMONI

FICHI

COCOMERI

MELANZANE

POMODORI

CETRIOLI

FAGIOLI

PEPERONI

PATATE

LAMPONI

MORE

MIRTILLI

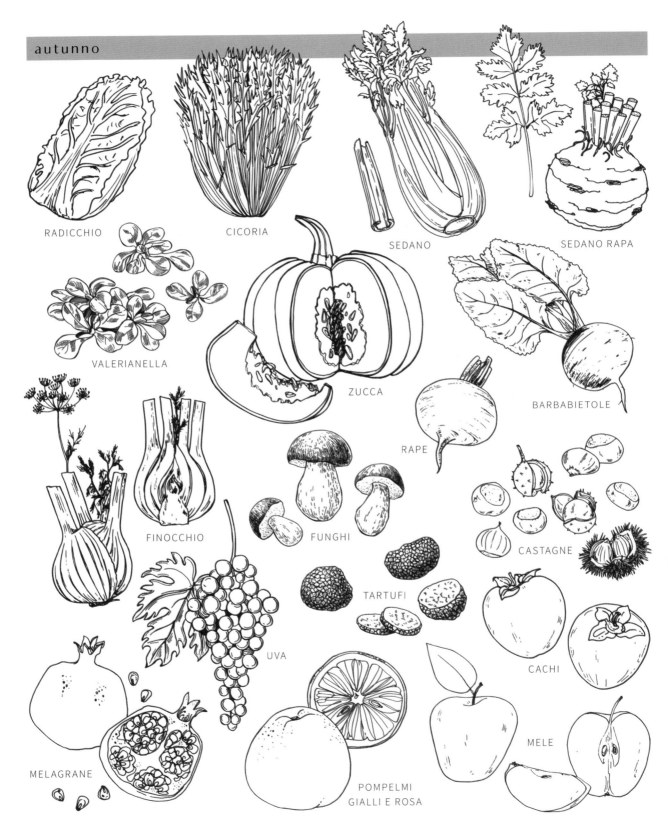

RADICCHIO

CICORIA

SEDANO

SEDANO RAPA

VALERIANELLA

ZUCCA

BARBABIETOLE

FINOCCHIO

RAPE

FUNGHI

CASTAGNE

TARTUFI

CACHI

UVA

MELAGRANE

POMPELMI
GIALLI E ROSA

MELE

58

CAVOLO
CAPPUCCIO

CAVOLO NERO

CAVOLO RAPA

CAVOLINI
DI BRUXELLES

BROCCOLO

CAVOLO ROMANO

CAVOLFIORE

CIME DI RAPA

DAIKON

PORRI

CARDI

BIETOLA
DA FOGLIA

BIETA
ERBETTA

TOPINAMBUR

CARCIOFI

MANDARINI

ARANCE

MANDARANCI

PERE

KIWI

INDIVIA RICCIA

NOTA Se non diversamente indicato, le dosi delle ricette di questo libro sono calcolate per 4 persone. Fanno eccezione le ricette (come salse, sughi, panificati, stuzzichini, bevande…) per le quali il numero di commensali non può essere definito, perché varia in base all'occasione. Lo yogurt di soia utilizzato per le ricette di questo libro è sempre quello neutro, al naturale.

RICETTE BASE

BEVANDE
di
FRUTTA SECCA
fatte in casa

Negli ultimi anni abbiamo notato un grande cambiamento nel consumo di latte: sempre più persone cercano alternative vegetali, la cui offerta è sempre più varia. Chi ha provato a sostituire il latte vaccino avrà probabilmente provato qualche bevanda a base di frutta secca: la più diffusa è attualmente quella di mandorle, seguita da nocciole e anacardi. Ma il latte di mandorle si può preparare facilmente in casa, e i suoi benefici sono parecchi. Il primo è sicuramente il risparmio. Inoltre, a meno che non si abbiano allergie a tutti i tipi di frutta secca, queste bevande sono adatte per qualsiasi dieta e stile di vita, sono molto gustose e non presentano alcun rischio per la salute. Dal punto di vista nutrizionale, sono poco caloriche (nonostante la densità calorica della frutta secca, perché per ottenere 1 l di latte ne serve davvero poca!) e si distinguono per l'eccellente apporto di antiossidanti e vitamina E, acidi grassi insaturi (in particolare oleico e linoleico), proteine, ferro, calcio, fosforo e potassio.

cosa serve Per preparare le bevande di frutta secca avrete bisogno di 3 parti di acqua e 1 parte di frutta secca. Tostata va benissimo, ma assolutamente non salata, poiché il risultato sarebbe troppo saporito. Gli unici strumenti necessari saranno un frullatore e una garza filtrante (va bene anche un semplice panno da cucina pulito), o un apposito sacchetto per latte vegetale. Inoltre, potete scegliere di insaporire la vostra bevanda di frutta secca con un cucchiaino del vostro dolcificante preferito o con un dattero denocciolato.

ESEMPIO
il latte di mandorle

— 100 g di mandorle sgusciate
  (pelate o non pelate, è indifferente)
— 1 l di acqua fresca
— 1 pizzico di sale
— 25 g di dolcificante a scelta o 1 dattero (facoltativo)

Assicuratevi di utilizzare mandorle di qualità, meglio se biologiche. Lasciatele in ammollo in una ciotola piena d'acqua per almeno 6 ore, idealmente anche per 12. A questo punto, scolatele e sciacquatele bene, perché nell'acqua di ammollo avranno rilasciato molti grassi. Ora versate le mandorle nel frullatore insieme all'acqua fresca. Aggiungete il pizzico di sale ed, eventualmente, il dolcificante che avete scelto. Frullate per un minuto alla massima potenza, tenendo il tappo del frullatore ben premuto. Una volta terminato di frullare, filtrate il liquido attraverso la garza. Avete ottenuto una bevanda ottima e salutare, che si conserverà per 4-5 giorni in frigorifero, all'interno di un contenitore di vetro. Sarà ottima per la colazione, insieme al caffè, o per preparare deliziosi frullati. È perfetta anche come ingrediente sostitutivo del latte vaccino nelle vostre ricette.

il consiglio in più La polpa di mandorle avanzata è ottima per arricchire gli impasti di torte o biscotti.
Si può anche congelare e utilizzare in un secondo momento.

GRANOLA
per la
colazione

— 250 g di avena in fiocchi grossi
— 120 g di datteri
— 80 ml di acqua
— 80 g di semi di zucca (o altri semi)
— 80 g di mandorle tritate grossolanamente (o altra frutta secca)
— 1 pizzico di sale
— 1 cucchiaino di cannella

Frullate i datteri insieme all'acqua. Quando avrete ottenuto un composto omogeneo, tenetelo da parte.

In una ciotola capiente versate l'avena, la cannella e il sale. Aggiungete i semi e la frutta secca: io ho usato semi di zucca e mandorle, ma potete scegliere quello che più vi piace.

Mescolate bene gli ingredienti, e a questo punto aggiungete anche la pasta di datteri, amalgamando bene il tutto. Versate la granola in una teglia foderata di carta da forno e cuocete il tutto a 180 °C per mezz'ora nel forno ventilato, ricordandovi di aprire il forno ogni 10 minuti per mescolare: in questo modo si cuocerà uniformemente senza bruciare.

A cottura ultimata, la granola sarà bella dorata. Vi consiglio di consumarla a colazione, insieme a yogurt o latte vegetale e frutta fresca.

conservazione
Si conserva fino a 2 mesi in un barattolo a chiusura ermetica.

il consiglio in più
Ricordatevi di lasciar raffreddare completamente la granola prima di inserirla in un contenitore ermetico, altrimenti rimarrà morbida.

PAN BRIOCHE

PER 4-6 PERSONE
— 320 g di latte di soia
— 5 g di lievito di birra secco
  (o 10 g di lievito di birra in panetto)
— 350 g ca. di farina 0
— 1 cucchiaio di semi di lino tritati
— 3 cucchiai di acqua
— 60 g di zucchero grezzo di canna + 1 cucchiaino
— 5 g di sale
— 1 cucchiaio di olio di cocco (o di semi)
— sciroppo d'acero (o di agave) per spennellare
  (facoltativo)
— zucchero a velo (facoltativo)

Iniziate versando 120 g di latte di soia in un pentolino e mettendolo a scaldare sul fuoco: il latte dovrà diventare appena tiepido, intorno ai 35-40 °C. Potete controllare la temperatura con un termometro, se volete, ma in realtà basta anche immergere un dito: dovreste percepire un calore simile alla vostra temperatura corporea. Se per caso il latte di soia fosse troppo caldo, dategli il tempo di raffreddarsi. Una volta che il latte sarà tiepido, versatelo in una ciotola e aggiungete un cucchiaino di zucchero di canna e il lievito. Mescolate bene con una forchetta: se il lievito non si scioglie del tutto non preoccupatevi, è normale. Tenete da parte.

In un pentolino versate 40 g di farina 0 e mescolatela con i 200 g rimasti di latte di soia. Quando il composto sarà uniforme, spostatelo sulla fiamma, dove continuerete a mescolare costantemente, raccogliendolo bene anche dai bordi. Ora dovete fare attenzione: sarà questione di un paio di minuti, poi il composto inizierà ad addensarsi. Appena vedete delle bolle formarsi in superficie, spegnete la fiamma. Continuate a mescolare ancora per un minuto o due, fino ad avere una crema densa, liscia e uniforme. Tenete da parte anche questa crema, lasciandola raffreddare.

Ora, vi ricordate il latte con il lievito di birra? A questo punto saranno spuntate delle bolle: questo significa che il lievito è vivo e sta andando tutto benissimo. Prendete una grossa ciotola e versatevi il latte. Poi aggiungete il composto denso, quello che avete appena scaldato. Amalgamateli bene con una frusta, fino a quando

avranno raggiunto una consistenza cremosa. Ora potete unire i semi di lino tritati e mescolati con i 3 cucchiai d'acqua, 60 g di zucchero grezzo di canna e il sale.

Mescolate bene, a mano o nell'impastatrice, finché il composto non sarà nuovamente liscio. A questo punto aggiungete 300 g di farina 0, a poco a poco, inglobandola nel composto, finché non sarà pronto per essere impastato a mano. Se l'impasto rimane molto appiccicoso potreste avere bisogno di più farina: non abbiate paura di aggiungerne ancora un po', se vi serve. Continuate a impastare per 5-10 minuti, e alla fine, quando avrete ottenuto un impasto liscio e morbido, aggiungete l'olio di cocco, che ingloberete bene impastando ancora per un minuto.

Ora l'impasto è pronto per la lievitazione. Trasferitelo in una ciotola e copritelo con un panno da cucina, lasciandolo lievitare per circa un'ora. Dovrà quasi raddoppiare il proprio volume. A questo punto potete dividerlo in tante piccole palline (io ne ho ricavate 12). Prendete una pirofila rotonda o rettangolare e disponete le palline al suo interno. Coprite nuovamente il tutto e lasciate lievitare per altre 3 ore. Finita la lievitazione, le palline saranno diventate grandissime, almeno raddoppiate.

Prima di infornare, spennellate molto delicatamente la superficie del pan brioche con dello sciroppo d'acero, stando attenti a non schiacciare. Questo passaggio è facoltativo: serve solo a dare un colore dorato alla superficie.

Il pan brioche dovrà cuocere a 170-180 °C per 25 minuti circa, in forno statico e già ben caldo. Vi consiglio di lasciarlo raffreddare per almeno un'ora e, se volete, di ricoprirlo con zucchero a velo per dargli un aspetto ancora più gustoso.

conservazione Questo pan brioche è perfetto per la colazione e per la merenda; si conserva fuori dal frigorifero, ma all'interno di un contenitore richiudibile, per almeno 2-3 giorni. Altrimenti, cosa molto utile e che io faccio sempre, si può congelare: per farlo scongelare basterà tirarlo fuori dal freezer la sera prima di consumarlo, o comunque almeno un paio d'ore prima, e lasciarlo scongelare a temperatura ambiente.

il consiglio in più Se volete, potete arricchire il vostro pan brioche con gustose gocce di cioccolato, con frutta secca spezzettata o con dell'uva passa: unitele mentre impastate, prima della lievitazione. Il risultato sarà delizioso!

PANCAKE
semintegrali

PER 8-10 PANCAKE
— 130 g di farina 0
— 130 g di farina integrale
— 6 g di lievito per dolci
 (1 cucchiaino abbondante)
— 4 g di sale
 (1 cucchiaino raso)
— 300 g di latte vegetale a scelta
— 2 cucchiai di zucchero
 (o altro dolcificante)
— estratto di vaniglia

PER GUARNIRE
— sciroppo d'acero
— frutta fresca

In una ciotola capiente versate le due farine, il lievito e il sale. Unite il latte vegetale (potete usare quello che preferite), quindi lo zucchero o il dolcificante. Aromatizzate a piacere: io ho usato un po' di estratto di vaniglia, ma va bene anche la cannella o ciò che preferite. Ora bisogna cuocere i pancake: in una padella antiaderente dal fondo piatto versate due cucchiai abbondanti di impasto. Mi raccomando, la fiamma dev'essere bassissima. Quando vedrete formarsi delle bolle in superficie, girate il pancake con l'aiuto di una paletta. Una volta cotto anche dall'altra parte, toglietelo dalla padella e adagiatelo su un piatto, e ricominciate da capo con il pancake successivo.

Una volta finito tutto il composto, avrete ottenuto circa 8-10 pancake, pronti da mangiare.

Se vi piace, versateci sopra il classico sciroppo d'acero e decorateli con un po' di frutta fresca. Questo piatto è perfetto per un brunch in famiglia o in compagnia, ma, perché no, anche come golosissima merenda.

il consiglio in più Il tempo di cottura necessario è di circa un minuto per lato, ma questo dipende molto dalla grandezza del vostro fornello e dall'intensità della fiamma: ogni situazione è diversa. In ogni caso, sono certa che dopo il primo pancake, o al massimo dopo i primi due, saprete regolarvi. Se volete ottenere dei pancake salati, basta aumentare leggermente la dose di sale e omettere lo zucchero.

base perfetta
per le
TORTE SALATE

— 130 g di farina 0
— 130 g di farina integrale
— 110 g di acqua
— 65 g di olio extravergine di oliva
— 1/2 cucchiaino di sale

In una ciotola capiente versate le due farine. Se volete, potete usare anche soltanto la farina integrale, ma secondo me con due farine il sapore risulta più delicato.

Aggiungete il sale e mescolate bene, dopodiché unite i liquidi: acqua e olio. Iniziate a mescolare aiutandovi con un cucchiaio, e poi impastate con le mani. Non serve impastare per molto tempo: due minuti saranno più che sufficienti. In ogni caso, continuate finché l'impasto non vi sembrerà omogeneo.

Stendete l'impasto con un matterello fino a raggiungere uno spessore di 4-5 millimetri. Disponetelo in una tortiera (la mia ha un diametro di 24 cm), facendolo fuoriuscire leggermente perché l'eccesso vi servirà per poter richiudere i bordi verso l'interno. Disponete sulla base il ripieno che desiderate (per un'idea, *vedi* p. 118), lasciando libera la parte dei bordi. Richiudete i bordi nel modo che preferite: a me piace farlo in maniera irregolare. Ora la torta è pronta per essere infornata: cuocetela a 200 °C per 40-45 minuti circa, o finché non vi sembrerà dorata.

Questa base è veramente buona, e l'impasto si può usare per mille preparazioni diverse.

conservazione Possiamo dire che la durata di conservazione dipende principalmente dal ripieno con cui scegliete di farcire la torta, ma approssimativamente in frigorifero si conserva per 3-4 giorni in un contenitore ermetico. L'impasto, da solo, una volta omogeneo, può anche essere congelato per essere utilizzato in futuro. In questo caso, va lasciato scongelare naturalmente.

il consiglio in più Se volete, potete arricchire questo impasto con erbe aromatiche tritate, come timo o rosmarino: in questo modo la pasta prenderà l'aroma che desiderate, diventando particolare e molto gustosa.

PASTA FRESCA
senza uova

PER 6-8 PERSONE
— 500 g di semola di grano duro
— 250 g di acqua tiepida
— 5 g di sale

In una ciotola capiente versate la semola e unite il sale. Aggiungete ora l'acqua: il quantitativo d'acqua deve essere circa pari alla metà della farina. Non deve essere né troppo calda, né troppo fredda. Dell'acqua tiepida o a temperatura ambiente andrà benissimo.

Impastate per 5 minuti circa, energicamente, su una spianatoia. La parte che deve lavorare è il fondo del palmo della mano: sfruttate il vostro stesso peso per spingere l'impasto in avanti, facendolo scorrere lungo la spianatoia. Quando avrete terminato, potrete far riposare l'impasto ottenuto avvolto nella pellicola per alimenti (a temperatura ambiente) se volete preparare la pasta successivamente. Se siete di fretta, potete anche utilizzarlo subito: la pasta sarà buonissima in entrambi i casi.

conservazione L'impasto che avete ottenuto si può conservare per 24 ore in frigorifero: l'importante è farlo tornare a temperatura ambiente prima di utilizzarlo. In alternativa, potete anche congelarlo: anche in questo caso, lasciatelo scongelare naturalmente e poi utilizzatelo normalmente, aiutandovi con un po' di farina aggiuntiva per stenderlo.

il consiglio in più Se volete dare alla pasta un colore giallo (come quello della pasta all'uovo, per intenderci) vi basterà aggiungere all'impasto una puntina di curcuma o di zafferano. Lo stesso vale per altri colori: per ottenere delle bellissime tagliatelle rosa sarà sufficiente aggiungere qualche goccia del liquido delle barbabietole cotte. Per dei ravioli verdi, potete frullare una piccola quantità di spinaci cotti e utilizzare questo liquido al posto dell'acqua.

GNOCCHI DI PATATE

- 1 kg di patate,
  possibilmente un po' invecchiate
- 300 g di farina 0
- 1 cucchiaino raso di sale

Lavate accuratamente le patate sotto acqua fredda corrente, pulendole con una spazzolina per eliminare ogni residuo di terra. Trasferitele in una pentola senza sbucciarle e lessatele fino a cottura completa in acqua leggermente salata: dovranno risultare tenere fino al cuore quando farete la prova perforandole con una forchetta. A cottura ultimata, trasferitele subito nello schiacciapatate e schiacciatele direttamente su una spianatoia. Aggiungete la farina e il sale, quindi impastate amalgamando gli ingredienti. È importante che la farina venga incorporata mentre l'impasto è ancora caldo, per una migliore riuscita degli gnocchi.

Lasciate intiepidire l'impasto sulla spianatoia, quindi infarinate bene il piano, prelevate una porzione di impasto e fatela rotolare tra le mani fino a ottenere un cilindro lungo e spesso circa un centimetro. Con l'aiuto di un coltello, tagliate il cilindro in tanti tocchetti. Potete tenere gli gnocchi così oppure rifinirli con l'apposito rigagnocchi. Altrimenti è anche possibile usare una grattugia o i rebbi di una forchetta.

Coprite un vassoio con un canovaccio da cucina pulito, spolveratelo abbondantemente con farina e mano a mano che saranno pronti adagiatevi gli gnocchi, mantenendoli leggermente distanziati tra loro. Spolverateli poi con dell'altra farina.

Per la cottura, portate a ebollizione abbondante acqua salata. Tuffatevi gli gnocchi, mescolandoli subito. Se la vostra pentola non è molto grande, vi suggerisco di cuocerli in due o più riprese. Nel giro di pochi minuti verranno a galla: prelevateli con una schiumarola e conditeli immediatamente, in modo tale che non si attacchino tra loro. Per lo stesso motivo, vi sconsiglio l'uso di uno scolapasta.

conservazione Gli gnocchi di patate si conservano per qualche ora in frigorifero, crudi, sopra il vassoio infarinato e coperti con pellicola per alimenti. In alternativa potete congelarli, sempre sul vassoio. Quando saranno perfettamente congelati, sarà possibile radunarli in un sacchetto per alimenti. Per cuocerli, tuffateli in acqua bollente mentre sono ancora ghiacciati, senza lasciarli scongelare fuori dal freezer.
Una volta che saranno cotti, la conservazione dipenderà dal condimento che avrete scelto.

PIADINE *integrali*

PER 6 PICCOLE PIADINE
— 250 g di farina integrale (o semintegrale)
— 125 g di acqua a temperatura ambiente
— 20 g di olio extravergine di oliva
— 1 cucchiaino raso di sale

Versate in una ciotola la farina, aggiungete il sale, l'acqua e l'olio. Mescolate il tutto e impastate per qualche minuto. Dividete il vostro impasto in 6 palline e stendetele con un matterello, cercando di mantenere una forma rotonda. A questo punto cuocete le piadine in una padella già calda, più o meno un minuto su ogni lato, a fuoco medio.

il consiglio in più

Per farcirle potete utilizzare ciò che preferite. Qualche esempio: hummus (p. 80), verdure grigliate, pomodori maturi, spinaci o formaggio spalmabile (p. 75).

conservazione Le piadine si conservano in frigorifero per 3 giorni, all'interno di un contenitore ermetico, e si possono anche congelare. Prima di consumarle, vi consiglio di ripassarle in padella per scaldarle e rassodarle.

FORMAGGIO SPALMABILE *vegan*

- 300 g di tofu classico
- 50 ml di acqua
- 1 cucchiaio di lievito alimentare
- 1/2 spicchio di aglio
- 1/2 limone
- 1 cucchiaio di olio extravergine di oliva
- 1/2 cucchiaino di sale e pepe a piacere
- 80 g di anacardi lasciati immersi in acqua per almeno 2 ore, scolati e sciacquati bene
- erba cipollina e/o altre erbe aromatiche a piacere

Versate tutti gli ingredienti nel frullatore o nel mixer, tenendo da parte solo l'erba cipollina, che incorporerete quando avrete già ottenuto una crema. Frullate il tutto. Se dovesse risultare difficoltoso, potete aiutarvi con un altro goccio d'acqua. Quando otterrete una consistenza liscia e cremosa, trasferite il "formaggio" in una ciotola e unite l'erba cipollina tritata e/o le altre erbe aromatiche che avete scelto, incorporandole bene. Ed ecco una crema spalmabile veramente gustosa e versatile, perfetta da utilizzare sul pane, nei panini e nelle piadine. È ottima anche per condire la pasta, magari con pomodorini o verdure a vostra scelta.

conservazione Questo "formaggio" si conserva in frigorifero per 5 giorni al massimo, all'interno di un contenitore ermetico.

76

RICOTTA DI ANACARDI

— 100 g di anacardi
— il succo di 1/2 lime (o limone)
— 1 cucchiaino di aceto di mele
— 1 pizzico di sale
— 1 cucchiaino di lievito alimentare
— 30-40 ml di acqua

Lasciate gli anacardi in ammollo per qualche ora in abbondante acqua a temperatura ambiente, in modo che possano ammorbidirsi e far uscire parte dei grassi al loro interno. Il tempo ideale di ammollo sarebbe di 8-24 ore, ma 2 ore sono sufficienti ad ammorbidirli.

Una volta terminato l'ammollo, sciacquateli bene sotto acqua corrente e scolateli completamente. Inseriteli nel bicchiere del mixer con gli altri ingredienti e azionate. Piano piano, i vostri anacardi dovrebbero trasformarsi in una morbida crema. Probabilmente sarà necessario ripulire i bordi del mixer 2-3 volte durante questo processo, che richiederà pochi minuti. Se vi sembra di avere bisogno di ulteriore acqua, aggiungetene poca per volta.

Una volta terminato, assaggiate la crema e regolate, se necessario, di sale e di acidità. Trasferite poi la ricotta in un contenitore dove conservarla per i prossimi giorni.

conservazione La ricotta di anacardi
si conserva fino a 5 giorni in frigorifero, coperta bene.
Si può congelare, e deve essere lasciata scongelare
a temperatura ambiente per almeno un'ora prima
dell'utilizzo. In freezer dura per 2-3 mesi.

il consiglio in più Se non avete gli anacardi,
potete usare anche le mandorle pelate o le noci
di Macadamia. Mi raccomando, però, in questo caso
lasciatele in ammollo molto più a lungo: serviranno
almeno 20 ore per ammorbidirle!

PESTO DI BASILICO

— 30 g di pinoli
— 50 g di basilico
— 2-4 cucchiai di olio extravergine di oliva
— 1 cucchiaio di lievito alimentare
— 1/2 spicchio di aglio
— sale

Pestate o tritate nel mixer i pinoli fino a farli diventare quasi una polvere. Aggiungete gli altri
ingredienti, tritate ancora e in pochi istanti avrete ottenuto un delizioso pesto.

conservazione Versate il pesto in una ciotola
e conservatelo in frigorifero, coperto con pellicola
per alimenti o chiuso in un contenitore ermetico.
In questo modo si conserverà per 3-4 giorni.
In alternativa, potete congelarlo e, al momento
dell'utilizzo, lasciarlo scongelare naturalmente.
In base alla temperatura esterna, serviranno
2-4 ore.

il consiglio in più
Ecco un trucco fantastico per avere
un pesto verdissimo e molto cremoso:
sarà sufficiente aggiungere un cubetto
di ghiaccio nel mixer, insieme a tutti
gli ingredienti, e tritare anche quello.
Lo shock termico renderà il vostro
pesto di un colore verde intenso,
e una piccola quantità d'acqua
lo renderà più cremoso.

PANNA MONTATA
vegana

— 1 barattolo (di vetro o latta) di ceci
  da 400 g a basso contenuto di sale
  (non più di 0,6 g per 100 g)
— 1 puntina di lievito per dolci
— 4 cucchiai di zucchero a velo

Aprite il barattolo di ceci e scolatelo bene: i ceci potrete utilizzarli per un'altra ricetta (vi consiglio l'hummus di p. 80), mentre ciò che vi servirà è il liquido in cui sono conservati. Questo liquido, chiamato aquafaba, è molto usato nella pasticceria vegana, perché monta proprio come la panna montata.

Versate nel liquido una puntina di lievito per dolci e iniziate a montarlo con l'apposita frusta o all'interno di una planetaria. Dopo circa 10 minuti, dovreste ottenere una consistenza praticamente identica a quella dell'albume montato.

Ora aggiungete lo zucchero a velo, un cucchiaio per volta, continuando a montare. Alla fine otterrete una consistenza e un sapore molto simili a quelli della panna montata.

conservazione
Questa panna montata non si conserva a lungo: dopo qualche ora inizierà a smontarsi. Vi consiglio quindi di prepararla al momento dell'utilizzo, o poco prima.

HUMMUS DI CECI

— 250 g di ceci già cotti
— il succo di 1 limone (o di 1 lime)
— 1 spicchio di aglio privato della buccia
   e dell'anima (la parte verde interna)
— 1 cucchiaio abbondante di tahina
— 1 pizzico di sale
— 1 pizzico di pepe appena macinato
— 2-3 cucchiai di olio extravergine di oliva
— 1/2 bicchiere d'acqua

Inserite tutti gli ingredienti nel frullatore, tenendo solo il sale e l'acqua da parte. Frullate fino a ottenere una consistenza molto cremosa. Aggiungete l'acqua piano piano, fino a raggiungere la consistenza che desiderate. Aggiustate di sale e continuate a frullare finché i sapori non si amalgamano bene. C'è chi preferisce un hummus molto "liscio" e chi più granuloso, l'unica regola è… seguire i vostri gusti.

Mettete l'hummus in una ciotola e terminate con un'ultima macinata di pepe e un filo di olio. Se volete, potete decorare con le erbe aromatiche che preferite.

conservazione L'hummus si conserva fino a 5 giorni in frigorifero, all'interno di un contenitore ermetico. In alternativa lo potete anche congelare, a patto di farlo poi scongelare naturalmente.

il consiglio in più

Una domanda che mi viene fatta spesso riguarda la salsa tahina: molti mi chiedono se possono ometterla, perché non riescono a trovarla facilmente. Cercatela nei supermercati o nei negozi biologici, dove si trova quasi sempre. Anche nei negozi di prodotti orientali è facile trovarla. E se proprio non doveste riuscire nell'impresa, potete prepararla in casa! Il procedimento è esattamente identico a quello del burro di mandorle che trovate a p. 84, ma dovete partire dai semi di sesamo.

BABAGANOUSH

— 1 kg di melanzane
— il succo di 1 limone di media grandezza
— 1 cucchiaio di tahina
— 1 spicchio di aglio
— 2 cucchiai di olio extravergine di oliva
— 1 cucchiaino raso di sale
— pepe nero
— menta fresca e semi di sesamo (facoltativi)

Lavate e asciugate le melanzane. Dividetele a metà per il lungo, tagliandole con un coltello ben affilato, e poi incidete la polpa a quadretti, senza però bucare la buccia dall'altra parte. Massaggiatele dalla parte piatta con un filo d'olio e mettetele su una teglia foderata di carta da forno, rivolte verso il basso. Ora cuocetele in forno statico a 200 °C per un'ora. Quando si saranno cotte, saranno diventate leggermente più piccole e molto raggrinzite. Aspettate che si intiepidiscano, dopodiché apritele e iniziate delicatamente a ricavare la polpa con l'aiuto di un cucchiaio. Man mano che la estraete, mettetela all'interno di un colino o di uno scolapasta, per far uscire l'acqua in eccesso, che non vi servirà. Lasciate colare la polpa per qualche minuto, poi trasferitela all'interno di un mixer, dove aggiungerete anche la tahina, il succo di limone, lo spicchio d'aglio, sale e pepe. Tritate il tutto per qualche istante, finché il composto non vi sembrerà omogeneo. In alternativa potete anche schiacciare il tutto con una forchetta, ma in questo caso otterrete una crema più granulosa. Quando il composto sarà omogeneo, aggiungete due cucchiai di olio e azionate brevemente per l'ultima volta.

Ora potete trasferire tutto quanto in una ciotola, che potete decorare con un po' di olio aggiuntivo, semi di sesamo e anche menta tritata. Se volete, ci sta molto bene anche la paprica, sia dolce che affumicata.

Questa crema di melanzane è ottima da consumare con le verdure crude, da usare come ingrediente per farcire panini o piadine, o meglio ancora del pane pita, come vuole la tradizione. Consiglio personale: secondo me è ottima anche per condire la pasta e le insalate.

conservazione Il babaganoush si conserva fino a 3-4 giorni in frigorifero, all'interno di un contenitore ermetico. Potete congelarlo e tirarlo fuori dal freezer almeno 2 ore prima di servirlo, lasciandolo scongelare naturalmente.

il consiglio in più Divertitevi a sperimentare con le diverse tipologie esistenti di melanzane: ognuna di esse infatti ha le sue caratteristiche e il suo sapore: troverete il vostro preferito tra tutti e imparerete a conoscere sempre meglio le varianti di questo ortaggio molto versatile.

BURRO DI MANDORLE
o di altra
frutta secca

— 300 g della frutta secca che preferite
— 1-2 cucchiai di olio di mandorla o di semi di girasole
  (facoltativo)
— 1 pizzico di sale (facoltativo)

Per realizzare il burro di mandorle, o di qualsiasi altro tipo di frutta secca, disponete le mandorle su una teglia e tostatele nel forno ventilato preriscaldato a 190 °C per 5-7 minuti. Una volta tolte dal forno, non lasciatele raffreddare, ma versatele subito nel mixer o nel frullatore, e azionate le lame alla velocità più bassa. Se volete, aggiungete anche un pizzico di sale.

All'inizio otterrete una consistenza sabbiosa, poi il composto si rapprenderà, per diventare via via sempre più fluido. Queste fasi si avranno in circa 5-10 minuti, ma tutto dipende dalla qualità dello strumento che utilizzate. State attenti a non sovraccaricare troppo il vostro mixer: se dovesse scaldarsi troppo, fate una pausa. Se dopo qualche minuto i risultati non dovessero essere soddisfacenti, l'olio di mandorla (o un altro olio dal sapore neutro) verrà in vostro aiuto: vi servirà per rendere più semplice e veloce il processo. Alla fine dovreste ottenere una consistenza molto fluida, simile a quella del cioccolato sciolto; raffreddandosi, il composto si rapprenderà.

conservazione
Il burro di mandorle si può conservare in frigorifero per un mese al massimo.

il consiglio in più È molto importante frullare le mandorle (o la frutta secca che deciderete di utilizzare) mentre sono ancora calde: il calore renderà il processo molto più veloce, provate per credere!
In più, specialmente nel caso del burro di arachidi, la tostatura è fondamentale: essa ha la capacità di distruggere gli enzimi capaci di degradare i grassi, che causano col tempo odori sgradevoli. In generale, poi, la tostatura sprigiona sapori e aromi più intensi, rendendo il burro di frutta secca ancora più gustoso. Se non avete un frullatore potente, va bene anche un mixer da cucina: io li utilizzo indistintamente per ottenere i burri di frutta secca. L'importante è scegliere uno strumento resistente.

BURRO DI ARACHIDI

— 300 g di arachidi tostate non salate

Versate le arachidi nel bicchiere del frullatore o del mixer. Il mio frullatore ha una capienza di 1,4 litri: se ne avete uno più grande dovrete aumentare la dose di arachidi per poter lavorare più facilmente. Quando inizierete a frullare otterrete prima di tutto una sorta di polvere, poi noterete che sul fondo c'è una pasta. Probabilmente avrete bisogno di aprire il tappo di tanto in tanto e di ripulire i bordi con un cucchiaio. Continuate a frullare finché non avrete ottenuto una crema morbida e liscia. Se volete ottenere un burro di arachidi leggermente granuloso, potete tritare delle arachidi a parte e incorporarle nella crema.

BURRO DI MANDORLE

CREMA SPALMABILE
con nocciole e cacao

— 300 g di nocciole al naturale
— 2-4 cucchiai di olio di nocciole o di semi (facoltativo)
— 80 g di zucchero a velo
  (potete anche tritare lo zucchero che preferite)
— 40 g di cacao
— 1 puntina di estratto di vaniglia
— 1 pizzico di sale

Tostate le nocciole per 5-10 minuti in forno a 180 °C. Questa tostatura le renderà più saporite e più semplici da tritare. Se le nocciole che utilizzate hanno ancora le pellicine, tostarle permetterà anche di pelarle più facilmente. Basterà inserirle in un barattolo una volta che saranno calde e agitarlo finché la maggior parte delle bucce non si sarà staccata naturalmente.

Versate le nocciole in un frullatore. Ora dovrete tritarle fino a farle diventare burro: questa operazione può durare dai 5 ai 20 minuti, dipende dalla potenza del vostro strumento. In ogni caso, armatevi di pazienza e ogni tanto fermate lo strumento per ripulire i bordi e spingere il composto verso le lame. Se non riuscite a ottenere un composto liscio e omogeneo, potete aiutarvi con dell'olio di nocciole o di semi: 2-4 cucchiai aiuteranno a velocizzare il processo.

Una volta ottenuta una consistenza liscia e burrosa, aggiungete lo zucchero a velo.

Se non volete usare lo zucchero bianco, potete scegliere un altro tipo di zucchero e tritarlo finemente. Questo è necessario perché lo zucchero non si scioglie nei grassi, quindi la nostra crema avrà una consistenza tanto liscia quanto sarà macinato fine lo zucchero che sceglieremo di utilizzare.

Insieme allo zucchero, aggiungete anche gli ingredienti restanti.

Tritate o frullate il tutto finché il composto non sarà ben amalgamato, e infine trasferitelo in un vasetto di vetro.

Inizialmente la vostra crema sarà piuttosto liquida, ma una volta che si sarà raffreddata raggiungerà una consistenza più densa.

conservazione
Questa crema si conserva in frigorifero per un mese, all'interno di un vasetto di vetro o di un contenitore ermetico.

il consiglio in più
Se preferite non usare lo zucchero, potete sostituirlo con dei datteri. Scegliete i datteri Medjoul, i più soffici e dolci, togliete i noccioli e aggiungeteli nel frullatore quando avrete finito di tritare le nocciole. Al posto degli 80 g di zucchero vi consiglio di utilizzare 100 g di datteri.

ricette base

il "mio"
GUACAMOLE

- 1 avocado Hass di grandezza media
- 1 lime (o 1 limone, ma il sapore
  sarà meno fresco e pungente)
- rametti di coriandolo
- 1 pizzico di sale
- 1 pizzico di pepe macinato
- 1 peperoncino

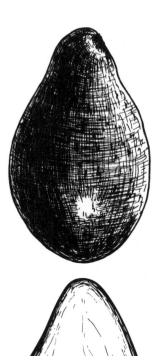

Sbucciate l'avocado ed estraete la polpa, quindi tagliatela a cubetti e mettetela in una ciotola. Spremete il lime o il limone sopra l'avocado, stando attenti a eliminare eventuali semi. Tagliate grossolanamente il coriandolo e aggiungetelo nella ciotola. Tagliate il peperoncino per il lungo, eliminando le parti bianche interne e i semi, e tritatelo a pezzetti molto piccoli. Versate coriandolo e peperoncino nella ciotola, quindi aggiungete sale e pepe e amalgamate il tutto.

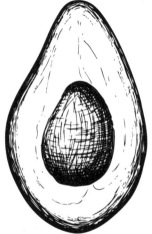

conservazione

Il guacamole si conserva per 24 ore in frigorifero, meglio se coperto con pellicola per alimenti appena al di sopra della superficie.
Se la superficie si dovesse annerire,
non temete: potete raschiarla delicatamente con un cucchiaino ed eliminarla.
Il resto avrà mantenuto il colore e il sapore.

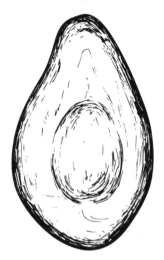

L'AVOCADO

Gli avocado normalmente sono visti come un frutto che arriva da molto lontano, e per questo non proprio ecologici: colgo questa occasione per dirvi che recentemente, nell'Italia del Sud (e specialmente in Sicilia) sono nate tantissime aziende che coltivano questo frutto, che cresce benissimo anche nel nostro Paese.

COME SCEGLIERE UN BUON AVOCADO

colore

Esistono diverse tipologie di avocado, per questo non possiamo considerare il colore come un fattore che ci indica se l'avocado è maturo o meno. Gli avocado Hass, per esempio, a maturazione diventano neri, mentre quelli di altre tipologie come la Russell o la Fuerte rimangono verde scuro, e i Lula sono verde brillante anche quando diventano maturi. In altre parole, se l'avocado è ancora verde non significa che non è maturo. Potrebbe essere di una tipologia che, a maturazione, rimane verde.

texture

Anche la texture della buccia varia a seconda della tipologia, esattamente come il colore. Alcune varietà sono molto rugose e bitorzolute, altre sono lisce. Quindi anche questo non è un buon indicatore del grado di maturità del frutto, ma piuttosto del sapore che questo avrà: infatti, ogni varietà di avocado ha un sapore leggermente diverso dalle altre, proprio come le mele o altra frutta o verdura. Quindi se avete assaggiato l'avocado una volta e pensate che non vi piaccia, provate a dargli una seconda chance. Io vi consiglio la varietà Hass, la mia preferita.

consistenza

Ripetete con me… "l'avocado maturo ha la consistenza di una bella pesca matura, leggermente cedevole al tatto ma non troppo". Quella consistenza che ci dice: "dentro non sono duro come un sasso, ma sono finalmente diventato morbido e pronto da gustare". Il trucco è prenderli con la mano e fare una leggera pressione tutto intorno, non in un solo punto, perché se facciamo troppa pressione in una piccola area, come in una banana, quel punto diventerà nero. Dobbiamo avvolgerlo bene con il palmo e non esagerare. Se è troppo morbido e le dita affondano nella buccia, l'avocado è troppo maturo. Se è morbido come una pesca matura, allora è pronto da mangiare. A quel punto possiamo aprirlo e mangiarlo subito oppure metterlo in frigorifero, dove durerà ancora per 4-5 giorni.

picciolo

Se siete in dubbio su quale avocado acquistare tra tanti simili, mi raccomando, sceglietelo sempre con il picciolo ancora attaccato. A volte questi si staccano accidentalmente e, anche se la loro assenza può sembrare qualcosa di superfluo, in realtà può rovinare di molto il processo di maturazione, facendo maturare l'avocado in modo non uniforme o rendendo la polpa nera. Se siete a casa e l'avocado vi sembra pronto, un'ulteriore conferma l'avrete togliendo il picciolo: se il pallino sotto è di un colore tra il giallo e il verde, l'avocado è pronto da mangiare. Se è marrone, sarà molto probabilmente troppo maturo. Se l'avocado non è maturo, il picciolo non verrà via facilmente. In questo caso, lasciate perdere e ritentate tra qualche giorno.

uniformità

Ricordatevi sempre di scegliere avocado che non hanno segni neri in superficie, perché in corrispondenza di un segno o una macchia nera all'esterno potrebbe esserci una zona nera all'interno. Cercate sempre di scegliere frutti che presentano uniformità nel colore e una bella superficie tondeggiante e non ammaccata.

COME POSSO FAR MATURARE L'AVOCADO VELOCEMENTE?

OPZIONE 1 Mettetelo in un sacchetto di carta con una mela e una banana. L'etilene, un gas rilasciato da questi frutti, fa sì che l'avocado maturi più velocemente. Questo vale anche nel caso in cui vogliate far maturare la banana più velocemente.

OPZIONE 2 Personalmente non vi consiglio questo metodo perché il sapore non sarà uguale a quello di un buon avocado maturo, ma se avete molta fretta avvolgetelo nell'alluminio per alimenti e mettetelo in forno a 100 °C per 10-30 minuti. Il tempo dipende da quanto è duro e acerbo il vostro avocado. Lasciatelo raffreddare completamente e provate ad assaggiarlo. Sarà praticamente maturo.

COME TAGLIARE L'AVOCADO

COSA DEVO FARE SE HO TAGLIATO L'AVOCADO E NON È ANCORA MATURO?

Prima cosa: non disperatevi, capita a tutti, è capitato anche a me… e con qualche accortezza si può rimediare. Spargete del succo di limone o di lime sulla superficie dell'avocado che avete tagliato, richiudetelo senza togliere il nocciolo e avvolgete l'avocado nella pellicola per alimenti. Mettetelo in frigorifero e aspettate. Dopo qualche giorno di frigorifero la situazione potrebbe risolversi, specie se l'avocado era abbastanza vicino al punto di maturazione. Se era molto indietro, non garantisco, ma tifo per voi.

MAIONESE
&
chips

MAIONESE

— 120 ml di olio di semi di girasole
— 60 g di latte di soia senza zucchero né aromi
— 1-2 cucchiai di succo di limone (o di aceto)
— 1 pizzico di sale
— 1 pizzico di curcuma in polvere
   (facoltativa, serve solo per il colore)
— 1 cucchiaino di senape

Versate in una ciotola, possibilmente abbastanza stretta e dai bordi alti, tutti gli ingredienti. Con un frullatore a immersione frullate il tutto finché la consistenza non si sarà addensata: sarà veramente semplice, dovreste metterci un attimo. Se questo non accade, probabilmente il frullatore a immersione non è completamente immerso nel liquido: in questo caso, provate a usare un contenitore più stretto. Quando è pronta, trasferite la maionese in una ciotola e servitela.

conservazione In frigorifero la maionese si conserva in un contenitore ermetico, o coperta con pellicola per alimenti, per 4 giorni al massimo. Si può congelare, ma ricordatevi che dovrà scongelarsi naturalmente.

il consiglio in più Tenete sempre vicino a voi mezzo bicchiere extra di latte di soia. Se vi accorgete che, frullando, l'emulsione diventa instabile e la maionese impazzisce, aggiungete un cucchiaino di latte (o più, se necessario) per stabilizzarla.

chips di patate dolci
AL FORNO

— 1 patata dolce
— 2 cucchiai di amido di mais
— 3 cucchiai di olio di semi di girasole
   (o olio extravergine di oliva)
— paprica dolce
   (per il colore e il sapore un po' pungente)
— sale

Tagliate la patata dolce in tanti stecchini, con la classica forma delle patatine fritte. È importante che i lati non superino il centimetro di spessore. Versatele in una ciotola capiente insieme all'olio, con una bella presa di sale e, se volete, un po' di paprica. Mescolatele bene e poi aggiungete l'amido di mais, distribuendolo uniformemente su tutte le patate.

   Disponetele poi su una teglia coperta con carta da forno, lasciando dello spazio tra una e l'altra: questo è molto importante per rendere la superficie croccante. Infornatele nel forno preriscaldato a 240 °C, in modalità ventilata, per circa 10 minuti. Estraetele dal forno, giratele su un altro lato e infornatele nuovamente per altri 10 minuti.

PATATE SPEZIATE
al forno

— 1 kg di patate
— 1 cucchiaino di paprica (io uso la paprica forte,
  ma va benissimo anche quella dolce)
— 4 cucchiai di olio extravergine di oliva
— 2-3 rametti di timo
— 1/2 cucchiaino di sale
— pepe macinato

Lavate e asciugate bene le patate con uno strofinaccio: dovreste tenere la buccia, perciò è meglio fare in modo che sia ben pulita. Posa-
tele su un tagliere e cominciate a praticare sulla superficie dei tagli
molto ravvicinati, che dovranno essere profondi, ma non arrivare a
tagliare completamente la patata. Fermatevi a circa un centimetro
dal piano di lavoro. Quando avrete finito, disponete tutte le patate
su una teglia ricoperta di carta da forno.

Ora preparate il condimento: in un bicchiere o in una piccola ciotola versate l'olio, la paprica, le foglioline di timo, il sale e il pepe.
Mescolate. Quando sarà omogeneo, spennellate generosamente
metà di questo condimento sulle patate, che a questo punto saranno pronte per essere infornate. Cuocetele in forno statico già caldo,
a 200 °C, per circa un'ora. Una volta terminata la cottura, le patate
avranno un aspetto dorato e croccante, e sarà il momento di spen-
nellarle nuovamente con la metà di condimento rimasta. Servitele
calde e, se volete, accompagnate da una salsa a piacere.

PANE
senza impasto

- 150 g di semola di grano duro
- 200 g di farina integrale
- 270 ml di acqua tiepida/calda
- 3 g di lievito di birra disidratato
  (1 cucchiaino da caffè circa)
- 1 cucchiaino raso di sale

Versate in una ciotola capiente le farine, aggiungete poi il sale e il lievito di birra. Se avete il lievito in panetto, vi basterà raddoppiare la dose, facendolo sciogliere in un po' d'acqua.

Mescolate bene gli ingredienti e aggiungete l'acqua. Non usate acqua troppo calda, mi raccomando, altrimenti rischierete di uccidere il lievito. Mescolate con un cucchiaio: qui vi renderete veramente conto di quanto sia semplice questo pane... non si deve neanche impastare! Amalgamate per un minuto o due, giusto il tempo di unire tutti gli ingredienti. Coprite l'impasto con la pellicola per alimenti, sigillate bene e lasciate lievitare per 3-4 ore circa.

Una volta terminata la lievitazione, togliete la pellicola: noterete che l'impasto sarà quasi raddoppiato nel volume e sarà diventato un po' piatto e appiccicoso (non vi preoccupate, è una cosa normale).

Versate una manciata di farina su una superficie asciutta e versatevi l'impasto. Ora, senza fare troppa pressione con le mani, arrotondatelo leggermente rivolgendo le estremità verso il centro, inglobando aria all'interno e cercando di formare una palla. L'aria inglobata aiuterà la crescita del pane. Appena avrete ottenuto una palla, trasferitela su un foglio di carta da forno.

Per cuocere questo pane io ho utilizzato una pentola di ghisa. Perché? Perché, essendo un ambiente chiuso, nella pentola si crea del vapore, che aiuta la crescita del pane e ci fa quindi ottenere una bella pagnotta soffice e leggera. Potete usare qualsiasi pentola in acciaio inox, l'importante è che non abbia nessuna parte in plastica, mi raccomando.

Trasferite il pane nella pentola, chiudete il coperchio e fatelo lievitare ancora per un'ora. Se non avete un coperchio senza componenti in plastica, potete sigillare la pentola con alluminio per alimenti.

Accendete il forno a 230 °C in modalità statica e, quando sarà bello caldo, trasferite la pentola al suo interno. Lasciate cuocere il pane, nella pentola chiusa, per 40 minuti. Se volete ottenere una bella crosta dorata potete lasciarlo ancora per 10 minuti nel forno, questa volta senza coperchio.

Come avete visto, questo pane richiede forse 5 minuti di lavoro totali, mentre il resto è solo attesa.

il consiglio in più Per questo pane possono andare bene diversi tipi di farine: la 0, la 1, la semola, la farina integrale, quella di farro o d'orzo... Io vi consiglio la combinazione che ho usato in questa ricetta, che per me è buonissima. Però, se volete, potete sperimentare con altre farine. Ricordatevi soltanto una cosa: almeno il 60-80% della farina totale dovrà contenere glutine. Potete usare farine senza glutine solo in piccola parte, altrimenti il vostro pane non legherà, e non si formerà un impasto!

FOCACCIA PUGLIESE

— 200 g di patate
— 500 g di semola di grano duro
— 4 g di lievito di birra secco
— 300 ml di acqua tiepida
— 7 g di sale
— 25-50 g di olio extravergine di oliva
— 1 cucchiaino di zucchero

PER GUARNIRE
— pomodorini
— capperi
— sale grosso
— origano essiccato

In una ciotola capiente unite le patate, dopo averle bollite e schiacciate con uno schiacciapatate, la semola di grano duro e il sale. Mescolate brevemente per amalgamare.

A parte, fate sciogliere il lievito nell'acqua insieme allo zucchero. Se il lievito non dovesse sciogliersi completamente, non vi preoccupate. Versate tutto nella ciotola con patate e semola e iniziate a impastare, a mano o a macchina, aggiungendo anche due cucchiai di olio. Continuate finché non otterrete un composto liscio e omogeneo. Ci vorranno circa 10 minuti. Una volta ottenuta una sfera morbida e liscia, lasciatela lievitare nella ciotola, coperta con un panno umido, per 3-4 ore.

Passato questo tempo, prendete l'impasto e, senza toccarlo troppo, disponetelo in una grande pirofila (la mia misura 30×40 cm) con il fondo ben oliato. Lasciatelo lievitare per un'altra ora, sempre coperto.

Verso la fine della lievitazione, accendete il forno in modalità statica, a 200 °C: quando inserirete la focaccia al suo interno, dovrà essere già ben caldo.

Prima di infornare la focaccia, fate i classici buchi con i polpastrelli e conditela in superficie con altri 2-3 cucchiai di olio, un po' di sale grosso (se vi piace), pomodorini, origano e capperi. Tutto nelle quantità che preferite, senza appesantire troppo la superficie: vi consiglio di tagliare i pomodorini in 4 anziché in 2, in modo da avere dei pezzetti più leggeri. Quando la focaccia sarà pronta infornatela e cuocetela per 30 minuti. Al termine della cottura dovrebbe essere cresciuta di volume ed essersi ben dorata in superficie.

conservazione Questa focaccia si conserva per 2-3 giorni avvolta in un panno, ma si può anche congelare; scongelatela naturalmente (basterà tenerla un paio d'ore fuori dal freezer, a temperatura ambiente) oppure scaldatela per 10 minuti nel forno.

PIZZA
nel forno di casa

PER 5-6 PIZZE
— 900 g ca. di farina 0 (o farina 1)
— 500 ml di acqua tiepida
— 23 g di sale
— 2 g di lievito di birra secco
— 10 g di zucchero
— 25 g di olio extravergine di oliva

Mescolate metà della farina con il lievito di birra. Fate sciogliere il sale nell'acqua tiepida.

Versate l'acqua salata nella ciotola dove si trovano farina e lievito. Versatela a poco a poco, mescolando con una mano per amalgamare. Otterrete una pastella piuttosto liquida. Aggiungete l'olio e lo zucchero, che aiuterà la lievitazione. Continuate a mescolare finché la pastella non sarà perfettamente omogenea.

Ora aggiungete a poco a poco il resto della farina, sempre amalgamando bene, finché non otterrete un impasto malleabile che non si appiccica più alle mani. Non è necessario aggiungere tutta la farina indicata: se l'impasto diventa malleabile prima, fermatevi.

Impastate energicamente per 10-15 minuti su una spianatoia.

Dividete l'impasto in 5-6 parti e appallottolatele formando dei panetti. Distanziateli e lasciateli lievitare su una superficie ben infarinata per 6 ore, coperti con un panno da cucina.

Una volta terminata la lievitazione, stendete ogni panetto con le mani, schiacciando i bordi il meno possibile. Condite le pizze come preferite e infornatele nel forno statico alla temperatura massima consentita. Potete usare una pietra refrattaria o una teglia da forno. In quest'ultimo caso, vi consiglio di utilizzare la carta da forno per evitare che le pizze si attacchino alla teglia, costringendovi poi a pulirla tra una cottura e l'altra.

il consiglio in più
La quantità di sale non sarà esagerata?
Avete letto bene: per 5-6 pizze servono 23 (anche 25) g di sale.
Non otterrete delle pizze troppo salate, fidatevi di me:
l'impasto che andremo a preparare è un quantitativo notevole,
per questo il sale va regolato di conseguenza.
Se facciamo il calcolo, dentro ogni pizza avremo alla fine
circa 4 g di sale, che è la dose giusta per non ottenere
delle pizze insipide.

PRIMAVERA

FRITTATA DI CECI E AGRETTI
con curcuma

PER UNA PIROFILA DA 35×35 CM

PER L'IMPASTO
— 200 g di farina di ceci
— 600 ml di acqua a temperatura ambiente
— 1 cucchiaino di sale
— 1 cucchiaino di curcuma
— 50 ml di olio extravergine di oliva

PER GLI AGRETTI
— 200 g di agretti
— 1 spicchio di aglio
— olio extravergine di oliva
— sale

Versate in una ciotola la farina di ceci, il sale, la curcuma e l'acqua a temperatura ambiente. Mescolate bene con una frusta finché non ci saranno più grumi. Eliminate la schiuma che si formerà in superficie con un cucchiaio o una schiumarola, infine aggiungete anche l'olio al composto. Tenete da parte a riposare mentre preparate gli agretti. Lavateli e asciugateli bene, eliminate le eventuali radici e poi tagliateli a tocchetti lunghi non più di 2 centimetri. Fate scaldare lo spicchio d'aglio in padella con un filo d'olio e aggiungete gli agretti che avete tagliato. Salateli e fateli cuocere a fuoco medio per 5-10 minuti, mescolandoli costantemente. A fine cottura saranno calati di volume e diventati morbidi: è il momento di aggiungerli al composto di farina di ceci preparato precedentemente, mescolando bene per amalgamare il tutto.

Ora prendete una pirofila e ungete bene il fondo (in alternativa potete anche utilizzare la carta da forno). Versate il composto al suo interno e cuocete a 220 °C in forno statico, per circa 30 minuti.

conservazione Questa frittata di ceci si conserva fino a 5 giorni in un contenitore ermetico, in frigorifero. In alternativa, la si può congelare.

il consiglio in più Gli agretti o barba di frate sono presenti sul mercato da marzo a maggio, hanno foglie lunghe e filiformi, piene e carnose. Il loro sapore è gradevole e leggermente acido. Al momento dell'acquisto dovete fare attenzione che le foglie non siano flosce, ma belle carnose. Si consumano generalmente bolliti, conditi con olio e sale.

A fine cottura, la superficie si sarà leggermente dorata. Se così non fosse, prolungate la cottura di qualche minuto. Quando l'avrete tolta dal forno, aspettate che la frittata di ceci si raffreddi un po' prima di tagliarla: in questo modo le darete il tempo di compattarsi. Dopo circa mezz'ora, potete procedere e gustarla ancora calda (ma anche fredda è ottima!)

HUMMUS
di ceci e
ZUCCHINE

— 400 g di zucchine
— 240 g di ceci
— 2-3 cucchiai di tahina
— il succo di 2 limoni piccoli (o di 2 lime)
— 2-3 cucchiai di olio extravergine di oliva
— 1 spicchio di aglio
— coriandolo tritato (facoltativo)
— sale

Per prima cosa, lavate e tagliate le zucchine a rondelle sottili. Fatele saltare in padella con lo spicchio d'aglio, un pizzico di sale e un filo d'olio, mescolandole costantemente per circa 10 minuti. Quando saranno morbide, mettetele nel frullatore o nel mixer con i ceci e tutti gli altri ingredienti. Frullate o tritate il tutto e, se necessario, aggiungete un goccio d'acqua per ottenere una consistenza cremosa.

Aggiustate di sale e frullate fino a raggiungere la consistenza che desiderate. Continuate finché i sapori non si amalgamano bene. C'è chi preferisce un hummus molto "liscio" e chi più granuloso, ma l'unica regola è seguire i vostri gusti.

Mettete l'hummus in una ciotola e terminate con un'ultima macinata di pepe e un filo di olio.

Se volete, potete decorare con del coriandolo fresco tritato.

conservazione
Si conserva per 4-5 giorni in frigorifero,
all'interno di un contenitore ermetico.
In alternativa, si può anche congelare,
a patto di lasciarlo poi scongelare
a temperatura ambiente.

il consiglio in più
Seguendo lo stesso procedimento, potete
preparare hummus con praticamente qualsiasi
tipo di verdura: peperoni, carciofi, spinaci…
potete sperimentare all'infinito, per scoprire
quali sono i vostri preferiti.

PENNE DI FARRO
*al pesto di piselli
e basilico*

— 380 g di penne di farro (o pasta a piacere)
— 250 g di piselli
— 30 g di pinoli
— 10-15 foglie di basilico
— 1 cucchiaino di lievito alimentare
— 1 spicchio di aglio
— olio extravergine di oliva
— sale

Scaldate un filo d'olio e lo spicchio d'aglio in una padella. Aggiungete i piselli, freschi o surgelati, salateli e cuoceteli per 10 minuti mescolando di tanto in tanto e aggiungendo poca acqua se necessario.

Quando sono cotti, prendete un mixer o un frullatore: versate nel bicchiere i pinoli, i piselli che avete cotto (tenendone da parte un po' per la decorazione finale), il basilico, il lievito alimentare e 3-4 cucchiai di olio. Tritate tutto quanto, aggiungendo dell'acqua se necessario, fino a ot-

tenere una consistenza piuttosto omogenea. Potete scegliere se arrivare fino a una consistenza molto liscia o se fermarvi prima per un pesto più granuloso, a seconda dei vostri gusti.

Cuocete la pasta che preferite in acqua salata: io ho scelto le penne rigate di farro. Quando la pasta sarà pronta, scolatela al dente e conditela con il pesto di piselli. Impiattate, aggiungete i piselli che avevate tenuto da parte e decorate a piacere con qualche pinolo e qualche fogliolina di basilico.

conservazione
Questo piatto si conserva per 3 giorni in frigorifero,
all'interno di un contenitore ermetico.

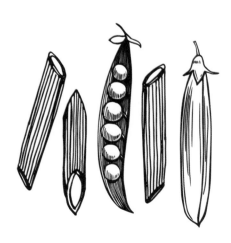

LASAGNE AL PESTO
con patate e fagiolini

PER 6 PERSONE

PER IL PESTO
— 60 g di pinoli
— 100 g di basilico
— 4-6 cucchiai di olio extravergine di oliva
— 1 cucchiaio di lievito alimentare
— 2 cubetti di ghiaccio
— 1/2 spicchio di aglio
— sale

PER LA BESCIAMELLA
— 1 l di latte di soia senza zucchero né aromi
— 60 g di farina 0
— 60 g di olio extravergine di oliva
— 1 pizzico di noce moscata in polvere

PER LE LASAGNE
— 300 g di sfoglia per lasagne di grano duro (senza uova)
— 300 g di patate novelle
— 400 g di fagiolini
— basilico
— pinoli

Preparate il pesto seguendo le indicazioni di p. 78. Cuocete le patate e i fagiolini come preferite, lessati o al vapore. Una volta cotti, conditeli a piacere.

Per la besciamella, fate scaldare in un pentolino l'olio, unite la farina e un bicchiere di latte di soia. Mescolate fino a ottenere una crema omogenea, facendo sciogliere bene la farina. Aggiungete poi tutto il latte di soia rimanente e portate a bollore mescolando. Il composto si addenserà fino a diventare una morbida crema. Quando avrà raggiunto la consistenza della classica besciamella, spegnete la fiamma, insaporite con noce moscata e tenete da parte.

Una volta che avrete tutti gli ingredienti pronti, distribuite uno strato di besciamella sul fondo della vostra pirofila. La mia misura 35×35 centimetri. Sovrapponete poi uno strato di sfoglia per lasagne, e ricominciate nuovamente con uno strato di besciamella. Aggiungete, sopra la besciamella, uno strato di patate (che avrete tagliato a fettine) e di fagiolini, per poi terminare con qualche cucchiaino di pesto qua e là. Ricominciate con la sfoglia per lasagne e ripetete lo stesso procedimento: besciamella, patate, fagiolini, pesto. Continuate creando nuovi strati finché gli ingredienti che avete preparato non saranno terminati. Una volta finito, dovreste aver ottenuto almeno 4-5 strati di ogni ingrediente.

Cuocete le vostre lasagne in forno già caldo, a 180 °C, per 35-40 minuti. Decorate alla fine con basilico e pinoli.

conservazione
Conservate le lasagne in frigorifero, nella loro pirofila coperta con pellicola per alimenti o in un contenitore ermetico. In questo modo si conserveranno fino a 3 giorni.
In alternativa, potete congelarle: al momento dell'utilizzo, vi consiglio di scaldarle in forno a 180 °C per 20 minuti.

RISOTTO PRIMAVERA
con
ricotta di anacardi

— 300 g di riso Carnaroli
— 1 cipolla dorata
— 1/2 bicchiere di vino bianco
— 2 carote
— 200 g di piselli freschi
— 1 patata novella di medie dimensioni
— 100 g di fagiolini
— 2 l ca. di brodo vegetale
— 200 g di ricotta vegetale di anacardi (*vedi* p. 77)
— erbe aromatiche a piacere
— olio extravergine di oliva
— sale, pepe

Portate il brodo a bollore, quindi abbassate la fiamma al minimo. Nel frattempo, tritate finemente la cipolla, tagliate a dadini le carote, la patata e i fagiolini. Fate soffriggere la cipolla in 2-3 cucchiai di olio, dopodiché unite il riso, fatelo tostare per 2-3 minuti e sfumatelo col vino bianco.

Una volta evaporato il vino, aggiungete un mestolo di brodo vegetale e subito dopo tutte le verdure: carote, patata, piselli e fagiolini. Continuate fino a terminare la cottura del riso. A questo punto aggiungete metà della ricotta vegetale e 2 cucchiai di olio, regolando di sale e di pepe.

Servite il risotto caldo, spolverando con erbe aromatiche a piacere e disponendo su ogni piatto un ulteriore cucchiaio di ricotta di anacardi.

conservazione
Questo risotto si conserva per 1-2 giorni in frigorifero, all'interno di un contenitore ermetico.

il consiglio in più
Avete ospiti a cena e volete servire un risotto, ma vorreste anche evitare di stare troppo tempo in cucina mentre gli invitati aspettano?
Nessun problema. Qualsiasi sia il risotto in questione, preparatelo in anticipo, prima che gli ospiti arrivino, fermandovi però a 5-7 minuti dalla fine della cottura. Spegnete la fiamma e coprite col coperchio. Successivamente, prima di servirlo, riprendete normalmente la cottura, aggiungendo brodo caldo quando serve. A cottura ultimata, servite.
In questo modo, potrete godervi la cena.

INSALATA DI AVENA
con
rucola, zucchine, olive

— 300 g di avena
— 3 zucchine
— 2 cipollotti
— 2 manciate di rucola
— 3 cucchiai di olive taggiasche
— 3 cucchiai di semi di girasole
— 3-4 cucchiai di olio extravergine di oliva
— sale, pepe

Sciacquate l'avena sotto acqua corrente e cuocetela in acqua bollente salata per il tempo indicato sulla confezione.

Lavate e tagliate le zucchine a tocchetti sottili e i cipollotti a rondelle. Condite tutto insieme in una ciotola con olio, sale e pepe. Disponeteli su una teglia foderata di carta da forno e cuoceteli in forno statico a 220 °C per 20-25 minuti.

Nel frattempo, scolate l'avena, fatela raffreddare un po' e conditela con olio, rucola, semi di girasole e olive taggiasche (se volete, tagliatele a pezzetti grossolani prima di aggiungerle). Infine aggiungete le zucchine e i cipollotti.

Questo è un piatto perfetto da servire sia tiepido che freddo.

conservazione
Questa insalata di avena si conserva per 2-3 giorni in frigorifero.

il consiglio in più
Se volete rendere questa fresca insalata un delizioso piatto unico, vi basterà aggiungere un legume: i fagioli cannellini, i ceci o i piselli ci staranno benissimo.

BURGER ROSA
alla barbabietola

PER 6 BURGER
— 280 g di fagioli cannellini cotti
— 1 barbabietola piccola cotta
— 80 g di zucchina
— 1 cucchiaio di cipolla saltata in padella
— 1/2 cucchiaino di timo fresco o essiccato
— 3-4 cucchiai di pangrattato
— olio extravergine di oliva
— 1/2 cucchiaino di sale
— pepe

Versate nel mixer i cannellini, la barbabietola tagliata a pezzetti, la zucchina, la cipolla saltata in padella, il timo, il sale e pepe a piacere. Tritate, ma non del tutto: appena vedete che la consistenza è malleabile, fermatevi, perché questi burger sono ottimi se mantengono un po' di consistenza.

Trasferite il composto in una ciotola e unite 3 cucchiai di pangrattato: vi consiglio di cominciare con 3 e poi, se necessario, di aggiungerne ancora un po'.

Ora che il composto è malleabile cominciate a modellare i vostri burger. Ne otterrete 6: io li ho fatti grandi come il palmo della mia mano.

Conditeli con un filo d'olio in superficie e cuoceteli in forno statico a 220 °C per 20 minuti circa, girandoli a metà cottura.

conservazione

In frigorifero questi burger si conservano fino a 3 giorni, mentre quando sono cotti si possono anche congelare, preferibilmente all'interno di un contenitore ermetico.
In questo modo si conserveranno anche per 3 mesi.

il consiglio in più

IDEA PER L'ASSEMBLAGGIO DI QUESTO BURGER

Io ho preso della maionese (*vedi* p. 93) e ho aggiunto qualche goccia di quel liquido fucsia che le barbabietole cotte perdono. L'ho spalmata sulla base del panino, ho aggiunto due foglie di insalata, ho sovrapposto il nostro burger, qualche fettina di avocado e poi un altro po' di insalata. Ho spalmato ancora un filo di maionese sul "coperchio", ed ecco il nostro panino dal sapore molto fresco e delicato.

PINK BURGER

8 PANE
7 MAIONESE
6 INSALATA
5 AVOCADO
4 BURGER ROSA
3 INSALATA
2 MAIONESE
1 PANE

primavera

TORTA SALATA DI FARRO
con crema di asparagi e fagiolini

PER UNA TORTIERA DA 22-24 CM DI DIAMETRO

PER LA FROLLA
— 260 g di farina di farro
  semintegrale o integrale
— 110 ml di acqua
— 65 ml di olio extravergine di oliva
— 1 cucchiaino raso di sale

PER IL RIPIENO
— 3 cipollotti
— 500 g di asparagi
— 250 g di fagiolini
— 200 g di formaggio vegetale
  (potete usare quello della ricetta di p. 75)
— 3 cucchiai di pangrattato
— 1 cucchiaio di erba cipollina tritata
— olio extravergine di oliva
— 1 cucchiaino raso di sale

In una ciotola capiente versate la farina e il cucchiaino di sale. Aggiungete l'acqua e l'olio, quindi cominciate a mescolare con un cucchiaio, per poi passare a impastare a mano. Lavorate l'impasto finché non vi sembrerà omogeneo (saranno sufficienti un paio di minuti). A questo punto, copritelo con un panno o avvolgetelo nella pellicola per alimenti e tenetelo da parte.

Nel frattempo, preparate il ripieno: tagliate a fettine la parte bianca dei cipollotti e fatela soffriggere in padella con un paio di cucchiai di olio. Tagliate le estremità dei fagiolini, poi tagliateli a tocchetti. Eliminate il fondo bianco degli asparagi e tagliate anche questi a tocchetti, tenendo da parte qualche punta. Mettete tutto in padella, salate e continuate a cuocere il tutto a fuoco medio, con il coperchio, mescolando di tanto in tanto e aggiungendo un goccio d'acqua se necessario. Dopo 10-15 minuti le verdure saranno diventate morbide. Con un frullatore a immersione, frullatele fino a farle diventare una morbida crema. Aggiungete anche il formaggio vegetale e l'erba cipollina, amalgamando questi ingredienti nel composto. Quando avrete ottenuto una crema dal colore verde chiaro, liscia e omogenea, aggiungete il pangrattato per addensarla.

Stendete l'impasto di frolla fino a raggiungere uno spessore di 4-5 mm e disponetelo all'interno della vostra tortiera, che avrete unto o coperto con carta da forno, quindi versate all'interno il ripieno, distribuendolo uniformemente su tutta la superficie. Ripiegate i bordi verso l'interno, in modo tale da formare una cornice rustica. Ora prendete le punte di asparagi che avete tenuto da parte: tagliatele a metà per il lungo e disponetele sopra la crema. Cospargete la superficie della torta con un filo d'olio e infornatela in forno già caldo, in modalità statica, a 200 °C. La cottura richiederà 40-50 minuti.

conservazione
Questa torta si conserva in frigorifero fino a 4 giorni, all'interno di un contenitore ermetico. In alternativa, la potete anche congelare. Per scongelarla, mettetela nel forno statico a 200 °C per circa 20 minuti.

il consiglio in più Esistono diverse varietà di asparagi: bianchi, rosa, violetti, verdi, selvatici ecc. Qualsiasi tipo di asparago andrà benissimo per questa ricetta. Ricordatevi solo che è bene scegliere asparagi con una forma regolare, senza curvature né screpolature, non afflosciati (fanno eccezione gli asparagi selvatici, che essendo più sottili si incurvano facilmente).

CROSTATA
con crema allo yogurt e lamponi

PER LA BASE
— 200 g di farina 1 (o farina 0)
— 6 g di lievito per dolci
— 1 presa di sale
— 50 g di zucchero grezzo di canna
  (o altro zucchero)
— 55 g di latte vegetale a scelta
  (preferibilmente a temperatura ambiente)
— 50 g di olio di semi

PER LA CREMA
— 125 g di anacardi ammollati per almeno 2 ore
— 1 cucchiaino di estratto di vaniglia
— 3 cucchiai di sciroppo d'agave
— 125 g di yogurt di soia
— sale

PER COMPLETARE
— 200 g di lamponi
— 30 g di cioccolato fondente
— zucchero a velo (facoltativo)

Per prima cosa preparate la crema: versate in un frullatore gli anacardi ammollati e scolati bene, l'estratto di vaniglia, lo sciroppo d'agave, lo yogurt di soia e un pizzico di sale. Frullate finché non avrete ottenuto una crema liscia e omogenea. Trasferitela in una ciotola e tenetela in frigorifero mentre preparate il resto.

In una ciotola capiente versate la farina, il lievito per dolci e il sale. Mescolate bene per amalgamare. Sciogliete a parte lo zucchero nel latte vegetale, e unite anche l'olio di semi. Versate poi i liquidi nella ciotola dove avete mescolato i solidi, e amalgamate fino a formare un impasto liscio e omogeneo: dovreste impiegare soltanto qualche minuto. Distribuite la frolla all'interno di una tortiera già unta (la mia misura 13×28 cm), creando dei bordi leggermente più alti della base, che eviteranno la fuoriuscita della crema. Cuocete la base nel forno statico a 180 °C per 20 minuti circa.

Quando sarà dorata, estraetela dal forno e lasciatela raffreddare. Sciogliete a bagnomaria il cioccolato fondente e spennellatelo sulla base. Questo la proteggerà: la crema non entrerà in contatto diretto con la crosta, rendendola molle, ma resterà separata grazie allo strato di cioccolato.

Ora prendete la crema preparata precedentemente, che nel frattempo si sarà addensata, e distribuitela bene sopra la base con l'aiuto di un cucchiaio o di una spatola. Al momento di servire, disponete i lamponi sulla crostata e, se volete, cospargete di zucchero a velo.

conservazione Questa crostata si conserva per 2-3 giorni in frigorifero, dentro un contenitore a chiusura ermetica o coperta bene.
Si consiglia di disporre i lamponi al massimo qualche ora prima di consumarla.

GREEN
smoothie
BOWL

PER 2 PERSONE

PER IL FRULLATO
— 1 banana
— 1 avocado piccolo
  (o 1/2 avocado grande)
— 2 kiwi
— 1 pera coscia
— 250 ml di latte di mandorle
— 1 cucchiaio di sciroppo d'agave
  (o altro dolcificante)
— 1 pizzico di sale

PER COMPLETARE
— 1 banana
— frutta a piacere
— cocco in scaglie
— granola
— frutta secca e semi

Frullate tutti gli ingredienti per il frullato: la frutta (privata della buccia, dove necessario), il dolcificante, il sale e il latte di mandorle.

Versate il composto ottenuto all'interno di due ciotole da colazione, decorando in superficie con gli ingredienti indicati o con altri a vostra scelta. Consumate subito.

il consiglio in più

Se volete ottenere un composto molto fresco,
potete conservare la frutta e il latte nel frigorifero
per almeno una notte, prima di frullarli.
In alternativa, insieme agli ingredienti potete
frullare anche qualche cubetto di ghiaccio.

124

COOKIES
al doppio cioccolato

PER 12-18 COOKIES
— 130 g di farina 1 (o farina di grano tenero integrale)
— 45 g di cacao
— 1 pizzico di sale
— 6 g di lievito per dolci
— 70 g di olio di semi di girasole
— 90 g del dolcificante secco che preferite
  (io uso lo zucchero grezzo di canna)
— 40 g di latte vegetale a scelta
— 150 g di cioccolato fondente avanzato delle uova di Pasqua
  (o cioccolato fondente al 70%)
— estratto di vaniglia
— cannella in polvere

conservazione
Questi biscotti si conservano per qualche giorno (massimo 7-8) all'interno di un contenitore ermetico. Se volete potete anche congelarli, ma a patto di farli scongelare naturalmente, estraendoli dal freezer almeno mezz'ora prima di consumarli.

Iniziate riducendo a pezzetti molto piccoli il cioccolato, che terrete da parte per dopo.

Mescolate in una ciotola la farina, il cacao, il sale e il lievito. Versate in un'altra ciotola l'olio di semi e il dolcificante. Aggiungete un po' di vaniglia e di cannella, a piacere. In ultimo, unite il latte vegetale.

Mescolate poi i contenuti delle due ciotole per amalgamare tutti gli ingredienti. Una volta ottenuto un composto omogeneo, aggiungete il cioccolato che avete tagliato all'inizio. Ovviamente potete sbizzarrirvi e usare, al posto del cioccolato, anche la frutta secca o i semi che desiderate.

Adesso iniziate a formare dei biscotti: mi raccomando, fateli molto piccoli, perché in cottura si espanderanno. Come spessore, potete lasciare anche un centimetro o un centimetro e mezzo, proprio perché, espandendosi, tenderanno ad appiattirsi. Una volta terminato l'impasto, potete infornare i biscotti nel forno statico, già caldo, a 180 °C, per 10-15 minuti circa. Più staranno in forno, più saranno croccanti. Se li cuocete meno, saranno più soffici.

TORTA DI CAROTE
senza glutine

PER UNA TORTIERA DA 16×23 CM

— 250 g di carote già pelate
— 250 ml di yogurt di soia
— 180 g di zucchero grezzo di canna
  (o zucchero di cocco)
— 100 g di fiocchi di avena sottili
— 1 cucchiaino di cannella
— 1/2 cucchiaino di sale
— 150 g di farina di riso
— 1 bustina di lievito per dolci

PER LA CREMA
— 60 g di latte vegetale
— 3 cucchiai di sciroppo d'acero
— il succo di 1/2 limone
— 150 g di anacardi (pesati da asciutti)
  ammollati e poi scolati bene
— 1 pizzico di sale

PER DECORARE
— nocciole tritate a piacere

Tagliate a rondelle le carote e versatele nel bicchiere di un mixer o di un frullatore. Aggiungete poi lo yogurt, i fiocchi di avena (in commercio si trovano facilmente quelli certificati senza glutine), lo zucchero, la cannella e il sale. Azionate il mixer finché non avrete ottenuto una purea piuttosto omogenea, che trasferirete poi all'interno di una ciotola.

Unite la farina di riso e il lievito. Amalgamate bene e versate il composto ottenuto all'interno di una tortiera foderata di carta da forno (oppure unta e leggermente infarinata), e cuocete a 180 °C in forno statico per 40-45 minuti.

Mentre la torta è in forno, potete preparare una crema con la quale completare il vostro dolce: frullando tutti gli ingredienti indicati qui sopra, otterrete una crema vellutata e deliziosa, perfetta da distribuire sopra la torta.

Estraete la torta dal forno e disponetela su un piatto. Aggiungete la crema, distribuendola bene sulla superficie, e poi, se volete, spargetevi sopra della granella di frutta secca a piacere.

conservazione
Questa torta si conserva per 3-4 giorni all'interno di un contenitore ermetico. Può anche essere congelata; scongelatela a temperatura ambiente oppure in forno statico a 180 °C per 10-15 minuti.

MUFFIN
semintegrali
ai
MIRTILLI

- 300 g di farina 0 (o farina 1)
- 16 g di lievito per dolci
- 1/2 cucchiaino di sale
- 220 g di latte vegetale
- 125 ml di yogurt di soia
- 1 cucchiaino di estratto di vaniglia
- 120 ml di sciroppo d'acero
  (o 120 g di zucchero + 60 ml di latte vegetale)
- 3 cucchiai (55 g) di burro di mandorle
- 200 g di mirtilli

Versate in una ciotola capiente la farina con il lievito per dolci e il sale.

In un'altra ciotola mescolate il latte vegetale, lo yogurt di soia, l'estratto di vaniglia e lo sciroppo d'acero. Infine, aggiungete il burro di mandorle (o altro burro di frutta secca… particolarmente consigliato quello di anacardi).

Mescolate bene per amalgamare il tutto, quindi versate nella ciotola dove si trova la farina, mescolando bene con un cucchiaio. Quando il composto sarà liscio e omogeneo, versatelo in uno stampo per muffin, dove avrete inserito i classici pirottini di carta.

Alla fine, aggiungete i mirtilli sulla superficie: una dozzina su ogni muffin, più o meno. Con la cottura, affonderanno dentro l'impasto. Cuocete per 20-25 minuti, in forno statico, a 180 °C.

conservazione Questi muffin si conservano per 3-4 giorni in un contenitore ermetico.
In alternativa si possono congelare:
in freezer possono restare per circa 1-2 mesi.
Lasciateli scongelare naturalmente.

il consiglio in più Potete preparare questi muffin utilizzando, al posto dei mirtilli, anche altra frutta: per esempio banane, fragole o lamponi, che si sposano con questo impasto altrettanto bene.

primavera

BUDINO
DI SEMI DI CHIA
con fragole

PER 1 PERSONA

— 3 cucchiai di semi di chia
— 120 g di latte vegetale a scelta
— 1 cucchiaino di dolcificante
  (facoltativo)
— 50 g di fragole
— 2 cucchiai di marmellata di fragole

PER GUARNIRE

— 2 cucchiai di granola
  (o cereali per la colazione)
— 1 cucchiaio di anacardi
  (o altra frutta secca)
— menta (facoltativa)

Per preparare una porzione di budino di chia vi basterà versare in una ciotola i semi di chia e unire il vostro latte vegetale preferito. Mescolate con un cucchiaino per qualche secondo: i semi di chia inizieranno a gonfiarsi e ad addensare il composto. Se volete, potete aggiungere un cucchiaino di dolcificante, ma non è assolutamente obbligatorio.

Mentre aspettate che il tutto si addensi ulteriormente, stendete la marmellata di fragole sul fondo di un bicchiere. Aggiungete una parte delle fragole taglia-

te a pezzetti. Ora prendete il budino di chia, che nel frattempo si è compattato. Versatelo riempiendo il bicchiere fino quasi all'orlo. Ora tagliate le fragole rimaste e disponetele sopra il budino. Potete anche aggiungere altra frutta, se vi va. Poi, per una colazione nutrizionalmente completa, io vi consiglio di unire anche un po' di granola e di frutta secca fatta a pezzetti (in questo caso ho scelto gli anacardi). Per finire, potete aggiungere anche un po' di menta, che donerà al tutto un tocco di freschezza.

conservazione Volendo, questo budino si può anche preparare la sera prima. Se poi lo mettete in un barattolo, invece che in un bicchiere, può diventare anche una comoda colazione da asporto. Il budino di semi di chia da solo, senza frutta, si conserva fino a 5-6 giorni in frigorifero e si può anche congelare (lasciandolo poi scongelare in frigorifero per una notte o a temperatura ambiente). In freezer durerà fino a 2 mesi. Se volete prepararlo in anticipo, vi consiglio sempre di tenerlo separato dalla frutta e dagli altri ingredienti, che è meglio aggiungere solo al momento di consumarlo.

ESTATE

CUSCUS
con
VERDURE ESTIVE
e curry

PER 2 PERSONE
— 180 g di cuscus
— 150 g di ceci già cotti
— 1/2 cipolla
— 1 peperone rosso
— 1 zucchina
— 1 cucchiaino di curry
— 3 cucchiai di uva passa
— olio extravergine di oliva
— sale

Tritate la cipolla e scaldatela in padella con un filo d'olio. Quando sarà traslucida, aggiungete il peperone tagliato a cubetti, che farete cuocere un paio di minuti da solo. Unite poi la zucchina, anch'essa tagliata a cubetti di circa un centimetro di lato. Aggiungete un pizzico di sale e fate cuocere le verdure a fuoco medio, mescolando costantemente per 5-10 minuti. Quando le verdure si saranno ammorbidite, aggiungete i ceci e un cucchiaino abbondante di curry. Mescolate per un minuto. Se il contenuto della padella è troppo asciutto, potete aggiungere un goccio d'acqua.

A questo punto versate in padella anche il cuscus e mezzo bicchiere d'acqua (non serve cuocere prima il cuscus).

Mescolate bene, aggiungete l'uva passa e ancora un pizzico di sale (perché il cuscus non è salato, e va quindi insaporito). Spegnete la fiamma e coprite con il coperchio.

Lasciate riposare il cuscus per 5 minuti, dopodiché servitelo caldo.

conservazione
Questo piatto si conserva per 3-4 giorni in frigorifero e si può anche congelare. Il cuscus con verdure estive e curry è ottimo sia caldo che freddo.

MELANZANE
glassate

— 2 melanzane medie
— 1 cucchiaio di olio extravergine di oliva
— 1 pizzico di sale

PER LA GLASSA
— 3 cucchiai di olio di sesamo
— il succo di 1 limone
— 1 cucchiaio di aceto di mele
— 2 cucchiai di salsa di soia

Lavate e tagliate le melanzane a tocchetti, quindi conditele con un cucchiaio di olio e un pizzico di sale. Non esagerate con il sale in questo momento, perché dopo aggiungerete la salsa di soia, che è molto saporita. Posizionatele ben distanziate su una teglia foderata di carta da forno, e cuocetele per 20 minuti a 220 °C, in modalità statica.

Mentre cuociono, preparate la glassa unendo in una ciotola l'olio di sesamo, il succo di limone, l'aceto di mele e la salsa di soia.

Passati i 20 minuti, estraete le melanzane dal forno e ricopritele con la glassa ottenuta. Rimettetele in forno per altri 15-20 minuti, estraetele e gustatele, calde o fredde.

PAPPA
al
POMODORO

— 750 ml di passata di pomodoro
  (o di pomodori ben maturi)
— 300 g di pane raffermo
— 1 cipolla rossa
— 2 spicchi di aglio
— 8-12 foglie di basilico
— olio extravergine di oliva (ca. 4 cucchiai)
— 1 cucchiaino ca. di sale

Se non avete del pane raffermo, ma semplicemente del pane
vecchio di qualche giorno, mettete le vostre fette di pane
su una teglia e scaldatele in forno statico a 160 °C per 15-20 minuti:
diventeranno asciutte e perfette per questa ricetta.

Incidete l'aglio e tagliate la cipolla a pezzetti. Mettete una pentola sul fuoco e versate un po' d'olio; aggiungete subito aglio e cipolla e fateli rosolare per qualche minuto da soli, finché non saranno diventati trasparenti, ma non ancora dorati.

A questo punto aggiungete la passata o i pomodori maturi tagliati a pezzetti molto piccoli. Portate a bollore a fuoco medio.

Mentre attendete, estraete il pane dal forno, se avete scelto questo procedimento; se volete una pappa al pomodoro molto vellutata, vi consiglio di togliere la crosta del pane. Se invece vi piace sentire i pezzetti, tenetela pure.

Quando il pomodoro arriva a ebollizione, abbassate la fiamma al minimo.

Aggiungete il pane raffermo a pezzetti e mescolate bene il tutto.

Se necessario, ovvero se notate che la vostra pappa al pomodoro si è asciugata un po' troppo e tende ad attaccarsi al fondo, potete aggiungere un po' d'acqua. Mescolate ancora per qualche istante e poi coprite nuovamente, questa volta a fiamma spenta, per far insaporire e ammorbidire il tutto. Potete lasciare coperto anche per 15-20 minuti.

Trascorso questo tempo, mescolate ancora un po' per rendere omogenea la pappa al pomodoro. Togliete l'aglio e salate a piacere, quindi aggiungete del basilico, rigorosamente spezzettato con le mani, e per finire un filo d'olio. Chi vuole può aggiungere anche del peperoncino.

il consiglio in più Se avete un pomodoro ancora acerbo e volete farlo maturare velocemente, basta metterlo in un sacchetto di carta (non usate la plastica, perché la condensa potrebbe generare muffa!) insieme a una mela o una banana. Il pomodoro reagirà all'etilene sviluppato dalla mela o dalla banana, innescando una rapida maturazione.

RAVIOLI DI SEMOLA
con melanzane,
pomodorini e basilico

PER 6-8 PERSONE

PER IL RIPIENO
— 2-3 melanzane
di dimensioni medie
— 2 spicchi di aglio
— 3 cucchiai di olio
extravergine di oliva
— 2-4 cucchiai di pangrattato
— sale, pepe

PER IL SUGO
— 1 kg di pomodori
datterini
— 10 foglie di basilico
— 2 cucchiai di olio
extravergine di oliva
— 1 spicchio di aglio
— sale

PER LA PASTA
— 500 g di semola rimacinata
di grano duro
— 250 g di acqua
a temperatura ambiente
— 5 g di sale
— curcuma o zafferano
(facoltativi)

PREPARAZIONE DEL RIPIENO

Tagliate le melanzane a piccoli cubetti e cuocetele in padella dopo aver fatto scaldare gli spicchi d'aglio in un filo d'olio. Salatele a inizio cottura con una presa generosa di sale e fatele cuocere a fuoco medio, mescolando frequentemente, finché non saranno diventate morbide e dorate.

Alla fine conditele con qualche macinata di pepe e frullatele con un frullatore a immersione. Una volta ottenuto un composto liscio e omogeneo, aggiungete 2-4 cucchiai di pangrattato per addensarlo. Mescolate e tenete da parte mentre preparate il sugo e la pasta.

PREPARAZIONE DEL SUGO

Per il sugo, in una padella fate scaldare l'olio con lo spicchio d'aglio e aggiungete poi i pomodorini tagliati a metà. Salateli e fateli saltare a fuoco medio-alto per 5-10 minuti, mescolando frequentemente, finché non diventeranno morbidi e non si creerà un po' di sugo sul fondo.

A questo punto spegnete la fiamma e aggiungete le foglie di basilico.

PREPARAZIONE DELLA PASTA

In una ciotola capiente versate la semola e il sale. Se volete, potete unire anche un pizzico di curcuma o di zafferano per ottenere un bel colore giallo. Aggiungete l'acqua e impastate per 5 minuti circa, energicamente, su una spianatoia. La parte che deve lavorare è il fondo del palmo della mano: usate il vostro peso per appoggiarvi sulla mano e fare forza spingendo avanti l'impasto, in modo da farlo scorrere lungo la spianatoia.

Alla fine fate riposare l'impasto avvolto in pellicola per alimenti (a temperatura ambiente, non in frigorifero) e preparate la pasta dopo circa un'ora. Se siete di fretta, potete anche utilizzarlo subito: la pasta sarà buonissima in entrambi i casi.

PREPARAZIONE DEI RAVIOLI

Vi consiglio di frazionare l'impasto in diverse parti, circa 6 o 7, per aiutarvi durante la stesura. Io preparo le mie sfoglie con l'aiuto di una macchina per la pasta, ma potete stendere l'impasto anche con un matterello se non ne avete una, e poi tagliarlo a mano. Lo spessore ideale della sfoglia per i ravioli è di circa 0,5 millimetri.

Tagliate l'impasto in tanti quadrati: io ho creato quadrati di 6×6 cm, ma potete farli della grandezza che preferite.

Versate un cucchiaino di ripieno su un quadrato di impasto, bagnate i bordi con poca acqua e chiudete con un altro quadrato, esercitando una leggera pressione per sigillare. Fate lo stesso con tutti i ravioli, fino a terminare pasta e ripieno.

COTTURA

Cuocete i ravioli in abbondante acqua bollente salata per 3-4 minuti. Conditeli con il sugo di pomodorini preparato precedentemente. Serviteli caldi, e se volete decorate i piatti con qualche foglia di basilico.

estate

TABOULÉ
di miglio

PER 2 PERSONE
— 160 g di miglio
— 1 pomodoro cuore di bue ben maturo
— 1 cipolla bianca piccola
— il succo di 2 lime
— 1 ciuffo di prezzemolo
— 30 g di menta
— 3 cucchiai di olio extravergine di oliva
— sale

Tritate finemente la menta e il prezzemolo, preceden-temente ben lavati e asciugati. Tagliate a dadini molto piccoli il pomodoro e tritate molto finemente la cipolla.

Sciacquate più volte in acqua fredda il miglio, poi met-tetelo in un pentolino. Aggiungete dell'acqua fredda (la proporzione esatta è 1 parte di miglio e 2 parti di acqua) e 1/2 cucchiaino di sale. Portate a bollore, poi coprite e ab-bassate la fiamma al minimo, proseguendo la cottura per 15-20 minuti e controllando di tanto in tanto che il miglio non si sia attaccato al fondo.

Quando il miglio sarà pronto, trasferitelo in una ciotola e unite tutti gli altri ingredienti. Mescolate bene il tutto e servite, caldo o freddo.

conservazione
Il taboulé si conserva in frigorifero
per 2 giorni al massimo, ben coperto.

il consiglio in più
La ricetta originale del taboulé prevede l'utilizzo del bulgur, un prodotto derivato dal grano (non si tratta di un cereale, come credono in molti: il bulgur si ottiene facendo germogliare il grano duro, essiccandolo e poi spezzettandolo… quindi, il bulgur è grano!). Il taboulé è però un piatto che ben si presta all'utilizzo di altri cereali (o pseudocereali) al posto del solito grano: quindi, se volete cambiare, via libera all'immaginazione! Oltre al miglio potete provare a preparare il taboulé di quinoa, amaranto, grano saraceno…

versa il miglio cotto in una ciotola

aggiungi il condimento

mescola bene e servi

FUSILLI
con
peperoni,
olive e
pistacchi

— 320 g di pasta
— 3-4 peperoni rossi
— 50 g di pistacchi tritati
— 40 g di olive
— basilico
— olio extravergine di oliva
— sale

Tagliate la parte superiore e inferiore dei peperoni, eliminando eventuali filamenti interni e i semi. Tagliate poi i peperoni a toc-chetti, ricavando da ognuno circa 4 pezzi, possibilmente piatti e più o meno delle stesse dimensioni.

Disponeteli su una teglia con la pelle rivolta verso l'alto e fa-teli cuocere a 200 °C per 40 minuti circa, con il grill acceso. Dopo questo passaggio, sarà semplice togliere la pelle dei peperoni, e la parte inferiore sarà del tutto cotta.

Nel frattempo, mettete una pentola d'acqua salata sul fuoco.

Pulite dalla pelle e da eventuali filamenti interni rimasti i pe-peroni, quindi metteteli nel tritatutto con 30 g di pistacchi tritati (tenete da parte il resto della granella di pistacchi per decora-re il piatto). Aggiungete un pizzico di sale, due cucchiai di olio e qualche foglia di basilico. Tritate tutto fino a ottenere una crema liscia e morbida.

Cuocete la pasta, scolatela al dente e conditela con la crema di peperoni, le olive e qualche foglia di basilico. Servite ogni piat-to con un filo di olio a crudo e una spolverata di pistacchi tritati.

Questo piatto è ottimo sia caldo che freddo.

conservazione
Questa preparazione
si conserva fino a 3 giorni in frigorifero.

GREEN GODDESS *gazpacho*

PER 2 PERSONE
— 1 avocado
— 2 cetrioli
— 1 spicchio di aglio
— 1 peperoncino verde
  Jalapeño
— 1 scalogno
— il succo di 2 lime
— 250 ml yogurt di soia
— sale, pepe

PER COMPLETARE
— foglie di basilico
— olio extravergine di oliva
— fettine di cetriolo
— yogurt di soia

Estraete la polpa dell'avocado e pulite e tagliate a pezzetti (con o senza buccia) i cetrioli. Incidete il peperoncino eliminando i semi e la parte superiore, tritate lo scalogno e sbucciate lo spicchio d'aglio.

Versate il succo dei lime in un frullatore e unite tutti gli ingredienti menzionati finora. Aggiungete lo yogurt di soia, un cucchiaino raso di sale e una macinata di pepe.

Frullate alla massima potenza finché non avrete ottenuto un composto molto liscio e omogeneo. Trasferitelo in due ciotole e, se volete, decorate con un cucchiaio di yogurt di soia, un filo d'olio d'oliva, qualche fettina di cetriolo e delle foglie di basilico. Servite il gazpacho fresco.

conservazione Questa ricetta si conserva in frigorifero fino a 24 ore, all'interno di un contenitore ermetico.

FRULLATO
estivo

PER 2-3 PERSONE
— 1 banana
— 2 pesche
— 300 g di fragole
— 500 ml di latte di mandorla
— 1 pizzico di sale
— 1 lime
— 1 cucchiaio di burro
  di mandorle

Sbucciate la banana, togliete i noccioli dalle pesche e togliete le foglioline delle fragole. Mettete la frutta nel frullatore insieme a tutti gli altri ingredienti. Frullate per un minuto circa, o finché non vedrete più grumi. Servitelo freddo.

conservazione Questo frullato si conserva in frigorifero per 12 ore al massimo, chiuso in una bottiglia.

CHEESECAKE SCOMPOSTA
ai fichi

PER 6 PERSONE

PER LA CREMA
— 4 fichi freschi e maturi, privati della buccia
— 125 g di yogurt di soia
— 90 g di anacardi ammollati
  per almeno 2 ore
— 1 pizzico di sale
— 2 cucchiai di sciroppo d'agave
— 1 cucchiaino raso di agar-agar
— 120 ml di latte di soia

PER IL CRUMBLE
— 50 g di avena in fiocchi
— 4 datteri
— 20 g di mandorle
— 1 pizzico di sale

PER COMPLETARE
— 6-8 fichi freschi
— foglie di basilico piccole

PREPARAZIONE DELLA CREMA
Scolate e sciacquate bene gli anacardi ammollati, quindi versateli nel bicchiere di un frullatore. Aggiungete i fichi, lo yogurt di soia, lo sciroppo d'agave e il sale.

A parte, fate sciogliere un cucchiaino raso di agar-agar nel latte di soia. Portate a bollore in un pentolino, mescolando costantemente. A questo punto, versate il contenuto del pentolino nel frullatore con gli altri ingredienti e azionate fino a ottenere una crema liscia e omogenea.

Versatela immediatamente in 6 bicchieri e metteteli in frigorifero.

PREPARAZIONE DEL CRUMBLE
In un mixer, versate l'avena in fiocchi, i datteri denocciolati, le mandorle e il sale. Azionate e tritate finché gli ingredienti non si saranno leggermente amalgamati, senza esagerare.

Distribuite il composto su una teglia coperta con carta da forno e cuocete per 20 minuti a 180 °C in modalità statica.

ASSEMBLAGGIO DEL DOLCE
Una volta terminato lasciate raffreddare, poi spargete il composto sopra ogni bicchiere. Disponete qualche fettina di fico su ciascun bicchiere e decorate con le foglioline di basilico, che si sposano divinamente con i fichi.

conservazione
La cheesecake scomposta ai fichi si conserva in frigorifero per 2-3 giorni, coperta bene.
Vi consiglio di spargere il crumble e di decorare con fichi freschi solo al momento di servire.

curiosità L'agar-agar viene ottenuto grazie alla lavorazione e all'essiccazione di un'alga (alga rossa). È un polisaccaride che non altera il sapore degli ingredienti, ed è un gelificante completamente vegetale. Per attivare la sua azione gelificante, va mescolato con un liquido che successivamente va portato a bollore, perché la sua capacità addensante si attiva solo ad alte temperature.

GELATO AL MANGO

— 1 mango da ca. 600 g
— 150 g di latte di cocco in lattina
— 2 cucchiai di dolcificante (facoltativo)
— 1 pizzico di sale

Tagliate il mango a pezzi e privateli della buccia, facendo attenzione. Tolti il nocciolo e la buccia, dovreste ottenere circa 500 g di polpa.

Inserite le fette di mango nel frullatore. Per facilitare l'operazione e ottenere anche tanta cremosità, unite il latte di cocco (si trova molto facilmente nei negozi etnici, in quelli biologici o nei supermercati più forniti). Se non lo trovate in lattina, potete usare anche un normale latte vegetale: il risultato sarà leggermente meno cremoso ma comunque ottimo. Versate il latte nel frullatore insieme a un pizzico di sale e frullate. Io non aggiungo dolcificanti, perché il mango è già molto dolce, ma se volete in questa fase potete aggiungere la quantità che desiderate del vostro dolcificante preferito.

Se avete una gelatiera, versate il composto ottenuto al suo interno e azionatela normalmente. Altrimenti, se non la possedete, versate il composto in un contenitore e chiudetelo bene. Mettetelo in freezer per qualche ora, finché non si sarà ghiacciato. A questo punto, estraetelo dal freezer e tagliate il blocco ottenuto in tanti pezzetti, che andrete a inserire in un mixer. Azionatelo e, se necessario, fermate ogni tanto per rimescolare il composto. Una volta terminato, avrete ottenuto il vostro gelato al mango.

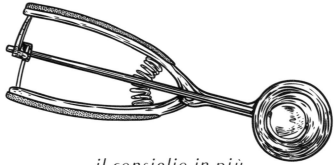

conservazione
Versate il gelato in un contenitore per poterlo poi conservare in freezer: in questo modo, infatti, si conserverà anche per 2 mesi. Ricordatevi di tirarlo fuori almeno mezz'ora prima di consumarlo.

il consiglio in più
Come scegliere un buon mango ben maturo? La consistenza dovrebbe essere quella di una pesca matura e, se lo annusiamo dalla parte del picciolo, dovremmo essere in grado di sentire un buon profumo di mango.

CROSTATINE
alla
confettura di ciliegie

PER 15-20 CROSTATINE

PER LA FROLLA
— 180 g di farina 1
— 5 g di lievito per dolci
— 50 g di olio di semi di girasole
— 40 g di zucchero grezzo di canna
— 40 g di latte vegetale
— 1 pizzico di sale

PER LA FARCITURA
— 150 g di confettura di ciliegie
— 10 ciliegie fresche,
  lavate e denocciolate

In una ciotola capiente unite la farina setacciata e il lievito.

In un altro recipiente, sciogliete lo zucchero nel latte vegetale, mescolando bene. A questo punto, aggiungete anche l'olio di semi e il sale.

Versate il contenuto nella ciotola con la farina e il lievito, amalgamando finché non ci saranno più grumi. Saranno sufficienti pochi minuti: l'impasto non va lavorato troppo. Appena sarà coeso e omogeneo, avvolgete l'impasto nella pellicola per alimenti e lasciatelo raffreddare in frigorifero per almeno mezz'ora.

Una volta raffreddato, togliete l'impasto dal frigorifero e stendetelo con un matterello tra due fogli di carta da forno fino a raggiungere uno spessore di 3-4 millimetri. Ora tagliate la frolla in tanti cerchi, usando un coppapasta o sempli-cemente un bicchiere, e adagiate ogni cerchio all'interno di uno stampo per muffin o negli appositi stampini per crostatine, unti o foderati con cerchi di carta da forno. Tenete da parte un po' di frolla per creare la decorazione sopra ogni crostatina. Spingete delicatamente ogni cerchio di pasta dentro il suo contenitore, creando così i bordi, e stendete la confettura al centro di ogni crostatina, facendo attenzione a non oltrepassa-re i bordi. Calcolate 2-3 cucchiaini di confettura per ogni crostatina.

Stendete la frolla avanzata formando delle strisce e disponetele sopra le crostatine nella classica forma a griglia.

Infornate le crostatine nel forno statico già caldo a 180 °C per 20 minuti o finché non risul-teranno dorate.

conservazione Le crostatine si conservano per 4-5 giorni all'interno di un contenitore ermetico. Le potete congelare, lasciandole scongelare poi a temperatura ambiente per circa un'ora, ma in tal caso la consistenza potrebbe diventare leggermente più morbida.

BISCOTTI INTEGRALI
al pistacchio

PER 12-18 BISCOTTI
(DIPENDE DALLA DIMENSIONE)
— 180 g di farina di grano tenero integrale (o farina 1)
— 1 pizzico di sale
— 6 g di lievito per dolci
— 70 g di olio di semi di girasole
— 80 g di zucchero grezzo di canna
(l'importante è che non sia un dolcificante liquido)
— 40 g di latte vegetale a scelta
— estratto di vaniglia (facoltativo)
— 150 g di pistacchi tritati

Mescolate in una ciotola capiente la farina con il sale e il lievito.

In un'altra ciotola versate l'olio di semi, il latte vegetale e lo zucchero. Se vi piace, potete aggiungere una puntina di estratto di vaniglia, o in alternativa potete utilizzare del latte vegetale aromatizzato alla vaniglia.

Ora mescolate i contenuti delle due ciotole per amalgamare tutti gli ingredienti.

Una volta ottenuto un composto omogeneo, formate dei biscotti: create dei dischi del diametro di circa 6 cm, spessi un centimetro. Disponeteli su una teglia ricoperta di carta da forno distanziandoli bene, perché in cottura si espanderanno. Cospargete ogni biscotto con un cucchiaino di pistacchi tritati, facendo una leggera pressione per far aderire la granella alla frolla.

Ora potete infornare i biscotti in forno statico già caldo, a 180 °C, per 15-20 minuti circa. Appena i bordi inizieranno a dorarsi, sarà il momento di toglierli dal forno. Più staranno in forno, più saranno croccanti. Meno ci staranno, più saranno soffici. Una volta estratti dal forno, lasciateli raffreddare per qualche minuto, e poi assaggiateli pure! Ancora caldi sono deliziosi.

conservazione
Questi biscotti si conservano bene per qualche giorno all'interno di un contenitore ermetico. Potete anche congelarli, a patto di farli poi scongelare naturalmente, tirandoli fuori dal freezer almeno mezz'ora prima di consumarli.

AUTUNNO

pasta
al
RAGÙ DI LENTICCHIE

PER 2 PERSONE
— 200 g di pasta
— 1 cucchiaio di mix per soffritto
— 200 g di lenticchie già cotte
— rosmarino
— 250 ml di passata di pomodoro
— olio extravergine di oliva
— sale, pepe

Mettete sul fuoco una pentola con abbondante acqua salata per cuocere la pasta.

Prendete una padella e fate scaldare un po' di mix per soffritto in un cucchiaio d'olio, quindi versate le lenticchie. Mescolate per far insaporire bene e aggiungete qualche foglia di rosmarino tritata molto fine. Dopo un paio di minuti aggiungete la passata di pomodoro. Salate e cuocete per altri 5-10 minuti, mescolando ogni tanto.

Cuocete la pasta, scolatela al dente e saltatela nella padella del ragù, aggiungendo un po' di pepe.

Impiattate terminando con un filo di olio, ed ecco pronta la vostra gustosissima pasta alle lenticchie, un piatto ottimo per l'autunno e molto bilanciato.

conservazione
Questa pasta si conserva per 3 giorni in frigorifero e si può anche congelare. Il ragù può essere congelato comodamente diviso in porzioni, e scongelato all'occorrenza.

autunno

RISOTTO SEMINTEGRALE ALLA ZUCCA
con noci e formaggio vegan

— 300 g di riso semintegrale per risotti
— 1/2 zucca mantovana o Delica, precedentemente cotta al vapore
— 1 cipolla dorata
— 1/2 bicchiere di vino bianco
— 2,5 l di brodo vegetale
— 4-6 foglie di salvia
— 60 g di noci tritate
— 2 cucchiai di lievito alimentare
— 100 g di ricotta di anacardi (*vedi* p. 77)
— olio extravergine di oliva
— sale, pepe

Tagliate la zucca a cubetti di circa un centimetro di lato. Conditela con un pizzico di sale e due cucchiai d'olio, disponetela su una teglia coperta di carta da forno e fatela cuocere per 30 minuti a 200 °C (forno statico). Una volta terminata la cottura, mettetela in una ciotola e frullatela con l'aiuto di un frullatore a immersione. In alternativa, potete usare il mixer.

Tritate la cipolla e fatela soffriggere con un filo d'olio nella pentola dove preparerete il risotto. Quando sarà diventata traslucida, versate anche il riso e tostatelo per 2 minuti a fuoco basso.

Sfumate con il vino bianco e, quando l'alcol sarà evaporato, iniziate la classica cottura del risotto aggiungendo un mestolo di brodo alla volta, man mano che serve. A metà cottura circa aggiungete la zucca, che donerà cremosità al risotto, oltre a un bellissimo colore arancione. Continuate aggiungendo brodo, e due minuti prima del termine della cottura aggiungete le foglie di salvia (che poi rimuoverete prima di servire), le noci tritate, il lievito alimentare e del pepe; regolate di sale. Mescolate bene per amalgamare tutti i sapori.

Terminata la cottura, aggiungete un ultimo mestolo di brodo per lasciare il risotto piuttosto morbido. In ultimo versate 3-4 cucchiai di ricotta vegetale, che servirà per mantecare: mescolate un'ultima volta e lasciate la pentola su fuoco spento con il coperchio per 2 minuti.

Impiattate decorando con qualche gheriglio di noce e con la restante ricotta vegetale.

conservazione
Questo risotto si conserva fino a 3 giorni in un contenitore ermetico, in frigorifero.

VELLUTATA DI FUNGHI,
patate e cipolle

- 500 g di funghi freschi
- 1 cipolla di Tropea
- 2 cucchiai di salsa di soia
- 1 l di brodo vegetale
- 2 patate
- 1 ciuffetto di prezzemolo
- panna vegetale (facoltativa)
- olio extravergine di oliva
- sale

Lavate e lessate le patate, e una volta cotte scolatele, pelatele e schiacciatele con uno schiacciapatate. Tenetele da parte. Tritate la cipolla di Tropea. Lavate e pulite i funghi e tagliateli a pezzetti di grandezza simile.

In una casseruola scaldate un po' d'olio e saltatevi per 5-10 minuti la cipolla e i funghi, salando leggermente. Quando i funghi saranno morbidi, aggiungete la salsa di soia e lasciatela assorbire. A questo punto, tenete da parte qualche fungo per la decorazione finale, unite il brodo ai funghi restanti e proseguite la cottura per 20 minuti. Unite poi le patate schiacciate e passate il tutto con un frullatore a immersione. Aggiustate di sale, se necessario.

Servite la vellutata ben calda decorando con un po' di prezzemolo tritato, con i funghi tenuti da parte e, se volete, con panna vegetale.

il consiglio in più Poiché il fattore lacrimogeno contenuto nelle cipolle è molto solubile in acqua, se bagnate il tagliere e la lama del coltello che utilizzate per tagliare riducete il numero di molecole irritanti che raggiungono i vostri occhi. Una seconda opzione è tenere le cipolle al freddo: lasciarle in frigorifero per almeno 10 minuti riduce la velocità di azione degli enzimi che ci fanno lacrimare.

autunno

DAHL
di
LENTICCHIE ROSSE

PER 2 PERSONE

PER LE LENTICCHIE
— 200 g di lenticchie rosse
— 800 ml di acqua
— 1 cucchiaino di sale

PER IL MASALA
— 2 cucchiai di olio extravergine di oliva
  (o di olio di semi)
— 1 cucchiaino di semi di cumino
— 1 foglia di alloro
— 1 peperoncino verde Jalapeño
— 1 cipolla dorata
— 1 spicchio di aglio
— 1 cucchiaino di zenzero grattugiato
— 2 pomodori grandi
— 1/2 cucchiaino di curcuma
— 1 cucchiaino di garam masala
— coriandolo spezzettato
— sale

Sciacquate le lenticchie per 2-3 volte, così da rimuovere eventuali residui che potrebbero farle diventare amare. Mettetele poi in una pentola calcolando circa 4 parti di acqua (circa 800 ml) e una di lenticchie (200 g). Quando l'acqua bollirà si creerà della schiuma in superficie: toglietela man mano che si forma. Cuocete per circa 30 minuti a fuoco medio-basso, con il coperchio semichiuso, mescolando di tanto in tanto. A fine cottura dovreste ottenere una consistenza simile a quella di una zuppa. Spegnete la fiamma, salate le lenticchie a piacere e tenete da parte.

In un'altra pentola scaldate due cucchiai di olio, il peperoncino inciso per il lungo (non dividetelo in due parti, va soltanto inciso!), la foglia di alloro e i semi di cumino. Appena sentite il profumo di erbe aromatiche, togliete il peperoncino e aggiungete la cipolla tagliata a pezzi, l'aglio tritato e lo zenzero grattugiato. Mescolate per circa 5 minuti, senza far caramellare troppo. A questo punto aggiungete i pomodori tagliati a dadini.

Aggiungete mezzo cucchiaino di sale e la curcuma. Se necessario, aggiungete un po' d'acqua per far ammorbidire bene i pomodori. Quando anche i pomodori saranno diventati morbidi, potrete aggiungere le lenticchie nel masala. Fatelo piano piano, un mestolo alla volta, incorporando bene.

Alla fine aggiungete il garam masala, appena prima di servire, mescolando un'ultima volta. Se volete, potete decorare con un po' di coriandolo spezzettato, che ci sta benissimo.

Servite il dahl da solo o accompagnato con del riso integrale.

POLPETTE DI LENTICCHIE
al sugo di verdure

PER LE POLPETTE
— 300 g di lenticchie già cotte
— 1/2 cipolla dorata
— 10 pomodorini secchi (o 3-4 pomodori secchi)
— 1 cucchiaio abbondante di salsa di soia
— 1 spicchio di aglio
— 1 cucchiaino di timo
— 5-6 cucchiai di pangrattato
— 2 cucchiai di olio extravergine di oliva
— 1 presa di sale
— pepe

PER IL SUGO
— 1/2 cipolla dorata
— 700 ml di passata di pomodoro
— basilico
— olio extravergine di oliva
— 1 pizzico di sale

Iniziate versando in un mixer le lenticchie: quelle del barattolo, scolate e sciacquate, si prestano perfettamente, ma se preferite cuocerle voi, ben venga. Aggiungete la cipolla tritata: va benissimo qualsiasi cipolla, io ho usato quella dorata. Poi, per dare un sapore ancora più gustoso, unite anche 3-4 pomodori secchi: possibilmente prima fateli ammorbidire in acqua per qualche minuto.

Ora, l'ingrediente segreto di questa ricetta è la salsa di soia: darà alle polpette quella marcia in più, facendovi ottenere un sapore davvero intenso. Aggiungete anche lo spicchio d'aglio, l'olio, una presa di sale e, se volete, una macinata di pepe. In ultimo, del timo: fresco o secco, va bene in entrambi i casi.

Ora potete iniziare a tritare. Andate avanti finché la consistenza non sarà piuttosto liscia, fermandovi per ripulire i bordi, se necessario. Se non riuscite a tritare significa che dovete aggiungere un po' d'acqua. Non esagerate, mi raccomando. Una volta terminato, dovreste ottenere una consistenza abbastanza fluida, che va rassodata per poter modellare le polpette: per farlo, usate del pangrattato: 5-6 cucchiai dovrebbero essere sufficienti. Aggiungetelo piano piano, mescolando, e appena riuscite a formare delle palline smettete di aggiungerne. Se per caso ne avete unito troppo, e il composto tende a sgretolarsi, vi basterà bagnare nuovamente l'impasto con un po' d'acqua. Modellate l'impasto in piccole palline, finché non sarà finito.

Man mano che le polpette saranno pronte, appoggiatele su una teglia ricoperta di carta da forno. Prima di infornarle potete condirle con un filo d'olio. Cuocetele a 220 °C per 20-25 minuti, girandole a metà cottura.

Mentre cuociono, preparate il sugo: in una pentola versate un filo d'olio e la cipolla tagliata a pezzetti. Una volta che la cipolla si sarà dorata, aggiungete la passata di pomodoro, abbassate la fiamma e coprite con il coperchio, cuocendo per 20 minuti e mescolando di tanto in tanto. Regolate di sale e a fine cottura profumate con del basilico.

Terminata la cottura del sugo, probabilmente saranno pronte anche le polpette. Estraetele dal forno, lasciatele raffreddare un po' (perché saranno piuttosto fragili all'inizio), poi unitele nella pentola del sugo. Ed ecco pronto un piatto squisito che è anche un ottimo metodo per iniziare a consumare più legumi, se non siete già abituati a farlo.

conservazione Questo piatto si può anche congelare: a questo proposito, meglio se congelate sugo e lenticchie separatamente. In frigorifero, invece, polpette e sugo (anche uniti, in questo caso) dureranno fino a 4 giorni in un contenitore ermetico.

TORTA RUSTICA
con
susine e mandorle

- 220 g di farina 1
- 1 pizzico di cannella in polvere
- 1 bustina di lievito per dolci
- 20 g di amido di mais
- 150 g di farina di mandorle
  (o mandorle tritate molto finemente)
- 1 pizzico di sale
- 240 g di latte vegetale
- 4 cucchiai di succo di limone (o di lime)
- 130 g di pasta di datteri (o sciroppo d'acero)
- 60 ml di olio di semi di girasole
- 6 susine mature
- 20 g di mandorle in scaglie

Scaldate il forno a 180 °C. Ungete o foderate di carta da forno una teglia da 22-24 cm di diametro.

Unite tutti gli ingredienti secchi in una ciotola capiente: farina, cannella, amido di mais, lievito, sale e farina di mandorle. Mescolate bene per uniformare il tutto.

Ora riunite i liquidi in un'altra ciotola: latte vegetale, succo di limone, olio di semi e pasta di datteri. Amalgamate bene.

Versate i liquidi nella ciotola dei solidi e mescolate finché non avrete ottenuto un composto omogeneo. Trasferitelo nella tortiera. Decorate con le susine tagliate a metà o in quarti (private del nocciolo) e con le mandorle in scaglie. Infornate la torta a 180 °C per 50-60 minuti, finché non sarà ben dorata.

conservazione
Questa torta si conserva fino a 5 giorni
in un contenitore ermetico. Si può anche congelare:
in freezer si conserva fino a 2 mesi.
In tal caso, consiglio di scaldarla per 10-15 minuti
in forno a 180 °C prima di servirla.

il consiglio in più
Se non avete una tortiera dal bordo apribile,
utilizzate la carta da forno al posto dell'olio per ungere.
In questo modo riuscirete a estrarre la torta dallo stampo
molto più facilmente.

TORTINO AL CIOCCOLATO
con cuore morbido
(senza glutine)

PER 6-8 TORTINI
— 160 g di cioccolato fondente al 70%
— 50 g di latte di soia
— 130 g di latte vegetale
— 40 ml di olio di semi di girasole
— 70 g di farina di riso (o di avena)
— 70 g di zucchero grezzo di canna (o zucchero di cocco)
— 8 g di lievito per dolci
— 50 g di cacao
— 1 pizzico di sale
— zucchero a velo

Mettete il cioccolato spezzettato in una ciotola capiente con il latte di soia. Fate sciogliere lentamente a bagnomaria, mescolando costantemente. Quando il cioccolato si è sciolto, aggiungete il latte vegetale, l'olio di semi, lo zucchero, la farina di riso, il cacao e il sale.

Mescolate fino a ottenere un composto completamente omogeneo. A questo punto aggiungete il lievito e mescolate ancora. Trasferite il composto in uno stampo per muffin precedentemente unto, cercando di riempire ogni stampino per non più dei due terzi.

Infornate poi in forno già caldo, a 180 °C, per 10 minuti, 12 al massimo. Non vi preoccupate se i muffin vi sembrano ancora crudi. Lasciateli raffreddare per qualche minuto, dopodiché rovesciateli con l'aiuto di un vassoio o di un tagliere, che adagerete sulla superficie dello stampo da muffin prima di capovolgerla. Sollevate delicatamente lo stampo, facendo scivolare i tortini sul tagliere.

Serviteli ancora caldi, con una spolverata di zucchero a velo.

PUMPKIN
spice
MUFFIN

PER CIRCA 12 MUFFIN

- 300 g di farina 0
- 1 cucchiaino di cannella in polvere
- 1 bustina (16 g) di lievito per dolci
- 1/2 cucchiaino di sale
- 1 cucchiaino di zenzero essiccato
- 1 pizzico di noce moscata
- 280 g di purea di zucca cotta al vapore (senza sale)
- 220 g di latte di mandorle
- 120 g di zucchero grezzo di canna
- 1 cucchiaino di estratto di vaniglia
- mandorle in scaglie (facoltative)

In una ciotola capiente setacciate la farina con il lievito e la cannella. Unite lo zenzero, il sale e la noce moscata. Mescolate tutto con una frusta e tenete da parte.

In un'altra ciotola riunite i liquidi: la purea di zucca, il latte di mandorle, lo zucchero e l'estratto di vaniglia. Mescolate, poi versate piano piano nell'altra ciotola, amalgamando molto bene per evitare che si formino grumi.

Ora siete pronti per versare l'impasto nello stampo da muffin. Ungetelo bene oppure inserite in ogni foro i pirottini da muffin, quindi versate un cucchiaio abbondante di impasto in ciascuno stampino, riempiendoli tutti fino ai due terzi. Se volete, potete cospargere i muffin di mandorle in scaglie.

Infornateli a 180 °C nel forno statico per 30 minuti.

Al termine della cottura, i muffin dovrebbero risultare dorati, molto soffici e profumati.

Aspettate che si raffreddino prima di estrarli dallo stampo.

conservazione
Questi muffin si conservano per 3-4 giorni
in un contenitore ermetico;
in alternativa, li potete anche congelare:
nel freezer si conservano per 2-3 mesi.
Vi consiglio di lasciarli scongelare naturalmente,
lasciandoli a temperatura ambiente
per almeno un'ora prima di mangiarli.

BISCOTTI SEMINTEGRALI
ripieni di pere

PER L'IMPASTO
— 400 g di farina semintegrale
— 1/2 cucchiaino di sale
— 6 g di lievito per dolci
— 80 g di zucchero grezzo di canna
— 80 g di olio di semi di girasole
— 90 g di acqua

PER IL RIPIENO
— 4 pere Kaiser o Abate
— 90 g di zucchero grezzo di canna
— 50 ml di acqua
— 1 cucchiaino di cannella in polvere
— 1 pizzico di sale
— 50 g di uva passa
— 50 g di noci

Unite la farina con il sale, lo zucchero e il lievito, mescolando con una frusta. Incorporate l'acqua e l'olio di semi agli ingredienti secchi mescolando con un cucchiaio. Iniziate poi a impastare a mano, ma solo finché gli ingredienti non si saranno amalgamati. Appena l'impasto diventa omogeneo, fermatevi. Avvolgetelo nella pellicola per alimenti e lasciatelo riposare mentre preparate il ripieno.

Tagliate le pere a pezzetti piccoli e sottili. Prendete una padella, mettetela sul fuoco e versateci lo zucchero e l'acqua. Mescolate finché lo zucchero non si sarà sciolto, poi aggiungete sale e cannella, sempre mescolando. A questo punto aggiungete le pere. Unite anche le noci e l'uva passa: le quantità che vi ho dato sono indicative, sentitevi liberi di regolarle in base ai vostri gusti. Continuate la cottura mescolando e aggiungendo un po' d'acqua se necessario. In una decina di minuti le pere diventeranno sempre più morbide e scure. Spegnete la fiamma e lasciatele raffreddare.

Ora tornate all'impasto. Toglietelo dalla pellicola, sistematelo tra due fogli di carta da forno e stendetelo con un matterello. Dovreste riuscire a stenderlo a uno spessore di circa 2 millimetri. Tagliatelo, con l'aiuto di un bicchiere, in tanti cerchi. Staccateli, stendete di nuovo l'impasto avanzato e tagliate ulteriori cerchi, finché l'impasto non sarà finito.

Prendete il ripieno e posatene un cucchiaino su un cerchio di pasta. Coprite poi con un altro cerchio, facendo una leggera pressione sui bordi per sigillare. Potete anche sigillare i bordi schiacciandoli con i rebbi di una forchetta, come ho fatto io. Ripetete lo stesso procedimento per tutti i cerchi, posando mano a mano i biscotti ottenuti su una teglia foderata di carta da forno. Praticate su ogni biscotto dei piccoli tagli al centro, in modo che si cuociano uniformemente e senza gonfiarsi. Cuoceteli a 180 °C per 35-40 minuti nel forno statico. Quando saranno cotti, la superficie sarà diventata leggermente croccante mentre l'interno sarà morbido e saporito.

conservazione
Questi biscotti si conservano per 4-5 giorni in un contenitore ermetico (meglio se in frigorifero, per conservare le pere in maniera ottimale) e si possono anche congelare. Lasciateli scongelare a temperatura ambiente per almeno un'ora.

il consiglio in più Se non avete pere, provate a riempirli di mele, di fichi o di banane: saranno deliziosi! In alternativa, potete farcire questi biscotti con cioccolato o marmellata, per un risultato davvero molto goloso.

BROWNIES
con noci e caffè

— 250 g di cioccolato fondente al 70%
— 160 g di sciroppo d'acero
— 350 g di latte di soia
— 180 g di farina di riso integrale
— 40 g di cacao
— 20 g di caffè macinato
— 1 cucchiaino di bicarbonato
— 1 cucchiaino raso di sale
— 3 g di cannella in polvere
— 10 g di lievito per dolci
— 100 g di gherigli di noce
— 25 g di semi di chia
— 85 g di acqua
— vaniglia*

* Io ho usato una stecca di vaniglia
lasciata in infusione nel latte di soia
per 30 minuti; se la utilizzate in polvere,
unitela agli altri ingredienti secchi.

In un bicchiere, mescolate i semi di chia con l'acqua e lasciate riposare per qualche minuto. Si gonfieranno molto velocemente.

In una ciotola capiente, mescolate gli ingredienti secchi: farina di riso, cacao, caffè, lievito, bicarbonato, sale e cannella.

Sciogliete il cioccolato a bagnomaria, unendolo con lo sciroppo d'acero.

Versate il latte di soia nella ciotola degli ingredienti secchi, mescolando con una frusta. Unite i semi di chia ammollati in acqua e amalgamate bene. Aggiungete il cioccolato sciolto e mescolate ancora. A questo punto unite le noci spezzettate e mescolate.

Versate tutto in una teglia quadrata o rettangolare foderata con carta da forno (la mia teglia misura 25×25 centimetri) e infornate nel forno già caldo a 180 °C, in modalità statica.

Lasciate cuocere per 25-30 minuti. L'impasto non deve lievitare troppo: è normale che rimanga basso, con delle venature sulla superficie.

Estraete il dolce dal forno e lasciatelo raffreddare per almeno 10 minuti prima di estrarlo dalla tortiera. Vi consiglio di mangiarlo mentre è ancora tiepido!

APPLE PIE
con
gelato alla vaniglia

APPLE PIE

PER IL RIPIENO
— 8 mele
— 1 cucchiaino di cannella in polvere
— 1 pizzico di sale
— 3 cucchiai di sciroppo d'acero

PER LA FROLLA
— 200 g di farina di farro
— 200 g di farina di farro integrale
— 1 cucchiaino raso di sale
— 8 g di lievito per dolci
— 75 g di acqua
— 75 g di sciroppo d'acero
— 75 g di olio di semi

il consiglio in più Nella ricetta ho proposto un ripieno semplicissimo, ma potete sbizzarrirvi con qualche aggiunta come uva passa, noci… seguite la vostra fantasia!

Tagliate le mele a spicchi, eliminando la parte centrale, e poi a fettine sottili. Fatele saltare in padella a fuoco medio per 10 minuti con lo sciroppo d'acero, la cannella e il sale. Quando saranno diventate morbide e scure, spegnete la fiamma e tenetele da parte.

Ora passate alla preparazione dell'impasto: in una ciotola capiente unite le due farine, il sale e il lievito. Mescolate brevemente con una frusta, poi aggiungete tutti gli ingredienti liquidi: acqua, sciroppo d'acero e olio di semi. Impastate per qualche istante, fino a ottenere un composto liscio e omogeneo.

Dividetelo in due parti e stendete la prima con il matterello in forma circolare, fino a raggiungere uno spessore di circa 3 millimetri. Questa sarà la base della vostra torta: disponetela su un foglio di carta da forno e sistematela in una tortiera da 22-24 cm di diametro, creando anche dei bordi rialzati. Ora versate le mele cotte sopra la base.

Stendete la parte di impasto rimanente e ricavatene tante strisce larghe circa 3 centimetri.

Disponetele sopra le mele, creando il classico motivo a intreccio, sigillate i bordi e spennellate la superficie con dell'olio di semi per farla dorare meglio. Cuocete la torta nel forno statico preriscaldato a 180 °C per circa 40 minuti, o finché non diventerà leggermente dorata.

conservazione Questa torta si conserva per 4 giorni in un contenitore ermetico, meglio se in frigorifero. La potete anche congelare. Vi consiglio di scongelarla nel forno: basteranno 10-15 minuti a 180 °C prima di servirla.

gelato alla vaniglia

— 300 g di latte di soia
— 100 g di anacardi ammollati per almeno 6 ore
— 2 cucchiaini di estratto di vaniglia (o 1 baccello di vaniglia)
— 80 ml di sciroppo d'agave
— 3 cucchiai di olio di cocco sciolto
— 2 g di sale

Scolate e sciacquate gli anacardi ammollati sotto acqua corrente. Mettete tutti gli ingredienti in un frullatore e frullate alla massima potenza fino a ottenere un composto molto liscio e completamente omogeneo. Versate il liquido ottenuto in una gelatiera con le pale già in movimento e fate montare il gelato finché non si addensa. Al termine del processo potete servire il vostro gelato.

Se desiderate una consistenza più soda, trasferite il gelato in un contenitore ermetico e lasciatelo solidificare in freezer fino al momento di consumarlo.

conservazione
Nel freezer, all'interno di un contenitore, questo gelato si conserva fino a 3 mesi.

PORRIDGE DI AVENA
in 3 modi

Scegliete la versione di porridge che preferite e mescolate tutti gli ingredienti.
Usate una quantità di latte vegetale sufficiente per amalgamare il tutto.
Consumate il porridge subito; in alternativa, conservatelo in frigorifero per una notte,
e consumate la mattina seguente con frutta fresca a piacere.

porridge
ALLA ZUCCA

PER 1 PERSONA
— 40 g di avena in fiocchi
— 3 cucchiai di purea di zucca
— 100 ml di yogurt di soia
— 1 cucchiaio di semi di chia
— 1/2 cucchiaino di cannella
— 1 puntina di zenzero in polvere
— 1 cucchiaino di sciroppo d'acero
— latte vegetale a scelta

porridge
AL CACAO
E BURRO
DI ARACHIDI

PER 1 PERSONA
- 40 g di avena in fiocchi
- 100 ml di yogurt di soia
- 1 cucchiaio di burro di arachidi
  (*vedi* p. 84)
- 1 cucchiaino di cacao
- 2 cucchiaini di semi di lino tritati
- 1 puntina di estratto di vaniglia
- latte vegetale a scelta

3

porridge
ALLA BANANA
CON GOCCE
DI CIOCCOLATO

PER 1 PERSONA
— 30 g di avena in fiocchi
— 1/2 banana a pezzetti
— 100 ml di yogurt di soia
— 2 cucchiaini di semi di chia
— 15 g di cioccolato fondente
  a pezzetti
— 1 puntina di cannella in polvere
— latte vegetale a scelta

GOLDEN
milk

— 250 g di latte vegetale
— 1 cucchiaino di curcuma
   grattugiata (o 1/2 cucchiaino
   di curcuma in polvere)
— 1/2 cucchiaino di zenzero
   grattugiato (o 1 puntina
   di zenzero in polvere)
— 1 cucchiaio di sciroppo d'acero
— 1 pizzico di pepe
— 1 pizzico di cannella
   (facoltativa)

Grattugiate lo zenzero fino a otte-
nerne circa 1/2 cucchiaino, e fate
la stessa cosa con la curcuma, che
dovrà essere un po' più abbondante. Se le radici sono biologiche, potete anche non togliere la buccia.
   Ora mettete tutti gli ingredienti
in un pentolino e scaldateli sul fuoco, mescolando con una frusta.
   Portate a bollore: quando si for-
meranno delle bolle in superficie,
spegnete la fiamma. Per eliminare
tutti i residui basterà filtrare il vostro golden milk attraverso un colino. Se avete utilizzato gli ingredienti
in polvere anziché grattugiati, questo passaggio non sarà necessario.
   Questa bevanda è perfetta da
bere nei pomeriggi d'autunno, ma
va benissimo anche per dissetarsi
in estate: potete farla raffreddare
in frigorifero e consumarla dopo
qualche ora.

conservazione
Il golden milk si conserva
per 3 giorni in frigorifero.
Un'ottima idea per l'estate
è congelarlo sotto forma
di ghiaccioli, da consumare
nelle giornate più calde.

BABKA
*alla crema
di nocciole*

BABKA
alla crema
di nocciole

— 270 g di latte di soia
— 8 g di lievito di birra secco
  (o 20 g di lievito di birra in panetto)
— 300 g di farina 0
— 200 g di farina 1
— 100 g di zucchero grezzo di canna
— 1 cucchiaino raso di sale
— 1 cucchiaino raso di cannella
— 70 g di olio di semi
— 3-4 cucchiai colmi di crema alle nocciole
  (*vedi* p. 86)

Scaldate il latte di soia in un pentolino finché non sarà diventato tiepido (mi raccomando, non scaldatelo troppo!). Versatevi il lievito e mescolate per farlo sciogliere. È normale che rimangano dei piccoli grumi, non preoccupatevi: tutto si sistemerà nel passaggio successivo.

In una ciotola capiente mescolate le farine con zucchero, sale e cannella. Unite l'olio di semi e il latte in cui avete fatto sciogliere il lievito. Impastate il tutto, a mano o nell'impastatrice, finché non avrete ottenuto un composto molto liscio e omogeneo. Se necessario, aggiungete un po' di farina. Se impastate a mano impiegherete circa 10 minuti, con l'impastatrice circa 5.

Una volta terminato, date all'impasto la forma di una palla (FOTO 1) e lasciatelo lievitare coperto per 2 ore.

Stendetelo poi senza maneggiarlo troppo, cercando di dargli una forma rettangolare (circa 40×30 cm), a uno spessore di un centimetro (FOTO 2).

Cospargete tutta la superficie con la crema alle nocciole (FOTO 3-4).

Arrotolate il rettangolo, partendo dal lato più lungo (FOTO 5-6).

Tagliate il rotolo per il lungo, al centro, senza tagliare la parte in alto (FOTO 7-8).

Intrecciate le due parti ottenute, facendole passare una sopra l'altra, cercando di tenere la parte tagliata sempre rivolta verso l'alto (FOTO 9-10).

Alla fine unite i due lembi in fondo facendo una leggera pressione con le mani (FOTO 11).

Posate la treccia su una teglia foderata di carta da forno e lasciatela lievitare per un'altra ora, coperta con un panno da cucina (FOTO 12).

Infornatela poi in forno statico già caldo a 180 °C per circa 25 minuti. Vi consiglio di cuocere il babka coperto con un foglio di alluminio per alimenti o carta da forno, per evitare di seccare troppo la crema di nocciole che si trova in superficie.

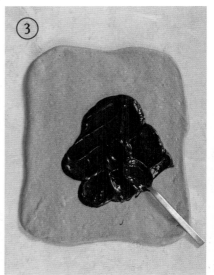

INVERNO

CHIPS DI CAVOLO RICCIO
con sesamo

— 1 mazzo di cavolo riccio
  (300-350 g)
— 1 cucchiaio di olio
  extravergine di oliva
— 1 cucchiaio di sciroppo
  d'acero
— 1 puntina di peperoncino
  in polvere
— 3 cucchiai di semi di sesamo
— 1/2 cucchiaino di sale

Tagliate le foglie di cavolo eliminando le parti più dure. Tagliatele grossolanamente, senza esagerare: non è necessario creare frammenti troppo piccoli, l'ideale sarebbe ottenere pezzi della grandezza di un grosso biscotto.

Mettete tutte le foglie in una ciotola capiente e distribuite tutti gli altri ingredienti sopra di esse, massaggiandole per rivestirle uniformemente. Durante questo passaggio siate delicati: fate attenzione a non schiacciare troppo le foglie.

Distribuite le foglie su una teglia ricoperta di carta da forno. Cuocete in forno ventilato a 150 °C per 20-25 minuti.

LENTICCHIE IN UMIDO
su purè di patate

PER LE LENTICCHIE
— 400 g di lenticchie
— 2 carote
— 2 coste di sedano
— 2 cipolle dorate piccole
— 3 foglie di alloro
— 1 rametto di rosmarino
— timo
— 400 ml di passata di pomodoro
— 1,5-2 l di brodo vegetale
— 4-6 cucchiai di olio extravergine di oliva
— sale, pepe

PER IL PURÈ
— 1 kg di patate a pasta gialla
— 280 g di latte di soia
   senza zucchero né aromi
— 30 g di olio extravergine di oliva
— 1/2 cucchiaino di sale
— noce moscata (facoltativa)

Mettete le lenticchie a bagno in acqua fredda per almeno 6 ore o, meglio ancora, per tutta la notte. Trascorso il tempo necessario, scolatele e sciacquatele bene sotto acqua corrente. Preparate un trito di sedano, carota e cipolla (io per comodità trito tutto nel mixer) e fatelo soffriggere in un tegame con l'olio.

Unite poi le lenticchie e le erbe aromatiche (meglio se chiuse in una garza, così da poterle togliere facilmente) e fatele insaporire e tostare a fiamma alta per alcuni minuti, mescolando costantemente.

Aggiungete poi la passata di pomodoro e, dopo un paio di minuti, il brodo (già bollente). Dovreste coprire le lenticchie abbondantemente, arrivando con il brodo fino a 2-3 dita sopra di esse. Quando il brodo riprenderà a bollire, abbassate la fiamma al minimo, coprite e fate cuocete per circa 40-50 minuti, controllando di tanto in tanto se è necessario aggiungere altro brodo.

Alla fine, le lenticchie dovranno essere morbide ma non sfaldarsi: togliete le erbe aromatiche e aggiungete sale e pepe 5 minuti prima di ultimare la cottura. Servitele calde o tiepide, aggiungendo un altro giro d'olio.

Ora preparate il purè. Fate bollire le patate con la buccia. Cuocetele finché non saranno diventate molto morbide. Una volta cotte, scolatele e passatele con uno schiacciapatate mentre sono ancora calde. Versatele in una padella dai bordi alti e tenetele da parte.

Nel frattempo, mettete a scaldare in un pentolino il latte di soia: quando comincerà a sobbollire, trasferitelo poco alla volta nella padella contenente le patate, mescolando con una frusta fino a quando sarà stato completamente assorbito e avrete ottenuto un composto omogeneo. A questo punto spegnete la fiamma, salate a piacere e, se vi piace, aggiungete la noce moscata. Infine mantecate con l'olio d'oliva.

il consiglio in più Per questa preparazione preferite le lenticchie secche: per facilitarne la cottura lasciatele in ammollo per almeno 8 ore e aggiungete un cucchiaino di bicarbonato per ogni litro di acqua che utilizzerete per l'ammollo.

conservazione
Il purè si conserva in frigorifero per 24 ore. Le lenticchie, una volta cotte, si conservano fino a 4-5 giorni in frigorifero. Entrambe le preparazioni si possono congelare: dureranno fino a 2 mesi nel freezer. Per scongelarle, consiglio di estrarle dal freezer qualche ora prima di mangiarle, e di passarle in padella (separatamente) per qualche minuto.

TOFU
in
AGRODOLCE

PER 2 PERSONE

PER LA BASE
— 200 g di tofu classico (non vellutato)
— 1 cucchiaio di olio di sesamo
— 1 pizzico di sale
— 1 pizzico di paprica dolce
  (facoltativo)
— 1 cucchiaio di farina 0
  (o amido di mais)

PER LA SALSA AGRODOLCE
— 1 cucchiaio di olio di sesamo
— 2 cucchiai di salsa di soia
— 1 cucchiaio di sciroppo d'acero
  (o zucchero)
— 50 ml di acqua
— 1 cucchiaio di amido di mais

Per preparare questi bocconcini, per prima cosa asciugate bene il panetto di tofu: più acqua riuscirete a togliere dal suo interno, più il tofu assorbirà i condimenti che utilizzeremo.

Tagliatelo poi a cubetti di circa 2 cm di lato e versateli in una ciotola. Conditeli con un cucchiaio di olio di sesamo, un pizzico di sale e, se vi piace, un pizzico di paprica dolce. Mescolate bene, quindi unite anche la farina. Date un'ultima mescolata e disponete i cubetti su una teglia ricoperta di carta da forno, cercando di togliere la farina in eccesso. Cuoceteli per 20 minuti nel forno statico già caldo a 200 °C.

A questo punto preparate la salsina agrodolce: in una ciotola mescolate l'olio di sesamo, la salsa di soia e lo sciroppo d'acero. Aggiungete l'amido di mais, che sarà l'ingrediente che farà addensare la vostra salsa, e l'acqua, mescolando per eliminare tutti i grumi.

Mettete una padella sul fuoco e versatevi la salsina ottenuta; state molto attenti e tenete la fiamma bassa, mescolando costantemente. Appena notate che la salsa inizia ad addensarsi, versatevi i cubetti di tofu. Spegnete la fiamma e mescolate bene finché i cubetti non saranno completamente ricoperti dalla salsa.

Potete servire il tofu con del riso integrale e una spolverata di semi di sesamo.

conservazione
Il tofu in agrodolce si conserva per 3 giorni
in frigorifero, all'interno di un contenitore ermetico.
Non è consigliato il congelamento.

FUSILLI
al pesto di
BROCCOLI *e* NOCI

— 320 g di fusilli
— 1 cima di broccolo da ca. 200 g
— 1 cipolla dorata
— 40 g di noci sgusciate
— olio extravergine di oliva
— sale

Mettete sul fuoco una pentola con abbondante acqua.

Tritate la cipolla e tagliate il broccolo grossolanamente, quindi affettate ogni cimetta in strisce sottili.

In una padella antiaderente fate scaldare un filo d'olio e unite poi la cipolla tritata. Appena la cipolla sarà lucida e tenera, unite i broccoli appena tagliati, facendoli saltare a fuoco medio per 10 minuti (aggiungete un po' d'acqua se necessario). Salate a piacere.

Tritate le noci in un mixer da cucina finché non avranno raggiunto una consistenza sabbiosa. Versate anche i broccoli nel mixer (tenendone qualcuno da parte per la decorazione finale) e continuate a tritare finché la consistenza non sarà diventata cremosa. Per aiutarvi, unite 3 cucchiai di olio a filo, e, se non dovesse bastare a rendere il pesto cremoso a sufficienza, aggiungete un po' d'acqua. Quando il pesto sarà omogeneo, sarà pronto.

Nel frattempo cuocete la pasta nell'acqua bollente salata: scolatela al dente e fatela saltare con il pesto di broccoli, amalgamando bene. Impiattate e terminate con un filo di olio a crudo. Completate con i broccoli tenuti da parte e se volete con qualche gheriglio di noce.

il consiglio in più Il broccolo è presente sul mercato dall'autunno all'inizio della primavera, ma il periodo migliore per comprarlo è senza dubbio l'inverno, in particolare il mese di gennaio. Al momento dell'acquisto, accertatevi che le cime siano sode, serrate e verdi. Se i broccoletti si schiudono in piccoli fiori gialli, significa che sono troppo maturi. Il fusto deve essere verde chiaro, dalla consistenza non elastica.

RISOTTO
con
RADICCHIO, PERE *e* NOCI

PER 2 PERSONE
— 150 g di riso Carnaroli
— 1 cipolla piccola
— brodo vegetale
— 1/2 bicchiere di vino bianco
— 1 pera Kaiser
— 2-3 cespi di radicchio tardivo di Treviso
— 2 cucchiai di lievito alimentare
— 30 g di noci tritate
— 2-3 cucchiai di yogurt di soia
— olio extravergine di oliva
— sale

Mettete sul fuoco una pentola con del brodo vegetale (o dell'acqua) e portate a bollore. Portatevi avanti con i tagli: sbucciate e tagliate a cubetti la pera, tritate la cipolla e tagliate a fettine il radicchio, separando la parte più tenera e scura (quella delle punte, per intenderci) dalla parte più chiara e croccante: le unirete al risotto in due momenti diversi.

Scaldate un filo d'olio in una pentola e unitevi la cipolla, facendola rosolare per un paio di minuti. Aggiungete poi il riso e fatelo tostare per un paio di minuti. Sfumate con il vino bianco e, quando l'alcol sarà evaporato, iniziate la cottura con il brodo vegetale.

Unite subito la pera a cubetti, perché dovrà diventare molto morbida, e salate direttamente in pentola, a meno che il vostro brodo non sia già salato. In questo caso, aspettate la fine della cottura per regolare di sale.

A metà cottura aggiungete la parte del radicchio più chiara e croccante, e continuate sempre mescolando e versando brodo. A cottura quasi ultimata, unite l'altra parte di radicchio, quella più scura e tenera, poi il lievito alimentare, che nella cucina vegana serve a dare un sapore simile a quello del formaggio grana.

Infine, mantecate con lo yogurt di soia. Questo abbinamento con lo yogurt è magico, provate per credere! E renderà il vostro risotto molto cremoso, senza appesantirlo.

A questo punto potete impiattare: decorate ogni piatto con un po' di noci tritate, ottime da abbinare al radicchio, ed ecco pronto il nostro risotto. Un piatto semplicissimo, ma davvero d'effetto.

LASAGNE AL RAGÙ DI CECI
e verdure

— 350 g di sfoglia per lasagne di grano duro
(senza uova)

PER IL RAGÙ DI CECI
— 1 l di brodo vegetale (o acqua)
— 550 g di ceci già cotti
— 1 cipolla bianca
— 1 carota
— 1 gambo di sedano
— 2 rametti di rosmarino
— 2-3 foglie di alloro
— 750 g di passata di pomodoro
— 2-4 cucchiai di lievito alimentare
(facoltativo)
— olio extravergine di oliva
— sale, pepe

PER LA BESCIAMELLA
— 80 g di olio extravergine di oliva
— 90 g di farina 0
— 1 l di latte di soia
senza zucchero né aromi
— 1 pizzico di noce moscata
(facoltativa)

PREPARAZIONE DEL RAGÙ DI CECI

Scaldate il brodo in un pentolino. Tritate la cipolla, la carota e il sedano in un mixer insieme ai ceci fino a raggiungere una consistenza farinosa, quindi mettete il tutto in una pentola grande con 4 cucchiai d'olio. Quando il soffritto diventa traslucido, aggiungete gli aromi (rosmarino e alloro), possibilmente legati in una garza da cucina per riuscire poi a toglierli con facilità, e coprite con il brodo fino alla superficie. Mettete il coperchio e lasciate insaporire, a fiamma bassa, per circa 10 minuti.

Quando gli ingredienti avranno assorbito gran parte del brodo, unite la passata di pomodoro (e se volete anche il lievito alimentare) e cuocete per altri 30-40 minuti. Al termine della cottura, togliete gli aromi e regolate di sale e pepe.

Quando il "ragù" sarà pronto e denso, vi consiglio di dare una leggera frullata con un frullatore a immersione, senza passarlo tutto. Questo lo renderà più cremoso.

PREPARAZIONE DELLA BESCIAMELLA

Passate alla preparazione della besciamella; scaldate in una pentola l'olio insieme alla farina e a 200 ml di latte di soia, mescolando con una frusta. Continuate a mescolare cuocendo su fiamma media per circa 2 minuti, quindi aggiungete il latte di soia rimanente.

Portate a bollore mescolando costantemente finché la besciamella non avrà preso la tipica consistenza. A questo punto spegnete e tenete da parte. Se volete, potete aggiungere un pizzico di noce moscata.

COMPOSIZIONE DELLE LASAGNE

Prendete una teglia o una pirofila rettangolare da circa 35×25 centimetri. Distribuite un filo di besciamella sul fondo della teglia in modo uniforme, poi adagiate la pasta, versate uno strato di ragù e ancora uno di besciamella (io metto 3 mestoli di ragù e 2 di besciamella su ogni strato).

Continuate così finché non avrete terminato gli ingredienti, cercando di essere generosi sia di ragù che di besciamella, specialmente sull'ultimo strato di pasta.

Cuocete in forno a 180 °C per 30 minuti circa.

conservazione Queste lasagne si conservano per 3-4 giorni in frigorifero (coperte bene) e si possono anche congelare. In freezer si conservano per circa un mese.

RAVIOLI CINESI
alle verdure

PER 4-6 PERSONE

PER IL RIPIENO
— 2 zucchine
— 1 cipolla dorata
— 2 carote
— 2 patate piccole
— 1 spicchio di aglio
— 1 pezzetto di zenzero fresco
   (o 1/2 cucchiaino di zenzero in polvere)
— 2 cucchiai di salsa di soia
— olio di sesamo (o di oliva)

PER LA PASTA
— 300 g di farina 0
— 1 cucchiaino di sale
— 150 ml di acqua
   a temperatura ambiente

PREPARAZIONE DELLA PASTA
Ora passate alla pasta per i ravioli: in una ciotola versate la farina e il sale. Mescolate e aggiungete l'acqua, quindi iniziate a impastare con un cucchiaio, per poi passare all'impasto a mano. Dopo 5-10 minuti di impasto dovreste ottenere una palla liscia e omogenea.

Infarinatela bene e stendetela con un matterello fino a raggiungere uno spessore di circa un millimetro, quindi, con uno stampino rotondo o con un bicchiere, iniziate a ricavare tanti dischi. Vi consiglio di farli con un diametro di circa 8 centimetri.

PREPARAZIONE DEI RAVIOLI
Mettete un cucchiaino di ripieno su ogni disco di pasta, pizzicate il fondo, quindi chiudetelo prima da un lato e poi dall'altro, prendendo ogni volta un po' di impasto e ripiegandolo su se stesso. Quando arrivate alla fine, è possibile che vi esca un po' di ripieno. Non c'è problema: togliete il ripieno che fuoriesce e sigillate il vostro raviolo. Con queste dosi dovreste ottenere circa 25-30 ravioli.

PREPARAZIONE DEL RIPIENO
Iniziate preparando il ripieno: grattugiate o tritate in un mixer le zucchine, la cipolla, le carote e le patate. Mettetele tutte in una ciotola capiente, e infine tritate l'aglio molto finemente. Aggiungete anch'esso nella ciotola e mescolate bene: il ripieno è pronto per essere cotto. Cuocetelo in una padella capiente, nella quale avrete scaldato un filo d'olio. Al posto del sale aggiungete la salsa di soia, che darà quel gustosissimo sapore orientale ai vostri ravioli. E poi, se volete, potete unire un po' di zenzero: è preferibile usare quello fresco tritato bene, se l'avete.

Lasciate cuocere il tutto per 10-15 minuti, mescolando frequentemente; una volta terminata la cottura, spostate il ripieno in una ciotola. Ovviamente assaggiate e, se necessario, regolate di salsa di soia. Se vi piace, nessuno vi vieta di aggiungere anche del peperoncino.

COTTURA
Una volta pronti, potete cuocerli in due modi: al vapore, per 15 minuti, ungendo bene il cestello prima di adagiarli; saranno morbidi e deliziosi. In alternativa potete cuocerli in padella: scaldateli prima per un minuto solo con un po' d'olio, per far dorare la parte inferiore e renderla leggermente croccante, quindi aggiungete mezzo bicchiere d'acqua, coprite con il coperchio e continuate la cottura, a fuoco medio, per 10-15 minuti. In questo caso, avranno un sapore un po' più intenso, dovuto alla parte inferiore che sarà leggermente abbrustolita.

Qualsiasi metodo sceglierete, vi consiglio di servirli caldi, con un po' di salsa di soia; se preferite un sapore agrodolce, potete aggiungere nella salsa 1/2 cucchiaino di zucchero o altro dolcificante a vostra scelta.

conservazione
Questi ravioli, una volta cotti,
si conservano per un paio di giorni
all'interno di un contenitore ermetico.
Da crudi si possono anche congelare.

CAROTE
al BALSAMICO

— 500 g di carote biologiche
— 2 cucchiai di aceto balsamico
 di Modena
— 2 cucchiai sciroppo d'acero o di agave
— 1/2 cucchiaino di sale
— 1 cucchiaino di amido di mais
— 2 cucchiai di olio extravergine di oliva
— 1 cucchiaio di semi di sesamo

Lavate e asciugate le carote, quindi tagliatele a metà per il lungo, tenendo la buccia.

Mettetele in una ciotola e conditele con l'aceto balsamico, l'olio, lo sciroppo d'acero, il sale e l'amido di mais. Mescolate bene fino a ricoprire uniformemente le carote con il condimento.

Disponetele poi su una teglia ricoperta di carta da forno e infornatele nel forno statico a 220 °C per circa 40 minuti. A fine cottura, spolveratele con i semi di sesamo.

POLPETTE DI QUINOA
e cavolo romano

PER 15-20 POLPETTE
— 260 g di cimette di cavolo romano
— 200 g di quinoa già cotta (circa 100 g da cruda)
— 1 patata bollita di medie dimensioni
— 1/2 cipolla dorata
— 1 cucchiaino di foglie di timo
— 3-5 cucchiai di pangrattato
— 2 cucchiai di olio extravergine di oliva
— sale, pepe in grani

Tagliate le cimette del cavolo, ben pulite, in tanti pezzetti di dimensioni simili. Cuoceteli in forno statico a 200 °C per 20-25 minuti, conditi con un po' di olio e di sale. Versateli in un mixer con la quinoa già cotta, la patata (privata della buccia e tagliata a pezzetti) e la cipolla. Aggiungete per insaporire un cucchiaino di foglie di timo (fresche o essiccate), un cucchiaio di olio, qualche macinata di pepe e 1/2 cucchiaino di sale.

Tritate il tutto fino a raggiungere una consistenza abbastanza cremosa, anche se non perfettamente omogenea.

Trasferite il composto in una ciotola e aggiungete del pangrattato, tanto quanto basta per solidificarlo un po' e rendere possibile la creazione delle palline. Vi consiglio di modellare le polpette con le mani bagnate, perché il composto tenderà ad appiccicarsi meno.

Posizionatele, leggermente distanziate tra loro, su una teglia ricoperta di carta da forno.

Se volete, spennellatele con un filo d'olio e poi cuocetele in forno ventilato, a 180 °C, per 20 minuti circa.

Una volta pronte, lasciatele raffreddare per qualche minuto prima di spostarle: questo farà sì che si compattino bene.

Vi suggerisco di consumarle con dell'hummus o del babaganoush, calde o fredde.

conservazione
Queste polpette si conservano in frigorifero,
all'interno di un contenitore ermetico, per 4-5 giorni.
Si possono anche congelare.
Per scongelarle, potete lasciarle fuori dal freezer
per qualche ora oppure utilizzare la funzione "defrost"
del microonde, o ancora metterle nel forno statico
a 180 °C per 10 minuti.

il consiglio in più Provate a preparare queste polpette anche con il riso, il miglio, il cuscus o altri cereali che vi sono avanzati: vi stupirete, verranno bene ogni volta.

NUGGETS
di cavolfiore

— 1 cavolfiore
— 70 g di farina 0
— 1 cucchiaino di sale
— 1 cucchiaino di paprica
— 1 cucchiaino di aglio in polvere
— 140 g di latte vegetale
  senza zucchero né aromi
— 4 cucchiai di passata di pomodoro
— 4-6 cucchiai di pangrattato

Tagliate le cimette del cavolfiore in pezzi di dimensioni simili.

In una ciotola, mescolate farina, sale, paprica e aglio in polvere. Versate il latte vegetale e la passata di pomodoro, amalgamando fino a ottenere una crema rosa, perfettamente liscia e omogenea.

Tuffate all'interno del composto tutte le cime di cavolfiore, immergendole completamente. Passatele poi nel pangrattato, rivestendole tutte. Rituffatele poi una alla volta nella crema rosa, ricoprendole con un secondo strato.

Trasferitele su una teglia coperta di carta da forno, distanziandole. Cuocetele per 20 minuti a 220 °C in modalità ventilata, dopodiché estraetele dal forno, giratele e cuocetele per altri 20 minuti.

Gustate i vostri nuggets caldi.

Se volete, potete abbinarli
a maionese condita
con erba cipollina a pezzetti.

CINNAMON *rolls*

PER LA PASTA

— 400 g di farina 0 (o altra farina con glutine;
  sconsiglio l'utilizzo di sola farina integrale)
— 40 g di zucchero
  (a scelta, io ho usato zucchero grezzo di canna)
— 200 g di latte di soia (o altro latte vegetale)
— 5 g di lievito di birra secco
  (o 10 g di lievito di birra in panetto)
— 4 g di sale fino (ca. 1 cucchiaino raso)
— 1 cucchiaio di olio di semi di girasole (o di cocco)

PER IL RIPIENO

— 60 g di zucchero grezzo di canna
— 2 cucchiaini di cannella
— 1 cucchiaio di olio di semi di girasole (o di cocco)

PER COMPLETARE (FACOLTATIVO)

— zucchero a velo

Scaldate il latte di soia fino a una temperatura di circa 40 °C, poi unite il lievito di birra. Mescolate per amalgamare il tutto e lasciate riposare per qualche minuto. Non importa che il lievito si sciolga alla perfezione in questa fase: se rimane qualche grumo, non preoccupatevi.

Ora prendete una ciotola capiente e versatevi la farina 0. Potete usare, in alternativa, anche la farina di farro o una parte di farina integrale, anche se in questo caso ovviamente il sapore sarà meno delicato, e dovrete lasciar lievitare l'impasto più a lungo. Aggiungete poi lo zucchero e il sale. Mescolate per amalgamare il tutto, poi aggiungete il mix di latte e lievito preparato precedentemente. Iniziate ad amalgamare con un cucchiaio, poi passate a impastare con le mani. Mentre impastate, aggiungete anche l'olio di semi di girasole, che vi aiuterà a rendere il composto più elastico. Una volta terminato di impastare, avrete ottenuto una pallina bella liscia. Lasciatela lievitare in un luogo tiepido della vostra cucina, coperta con pellicola per alimenti, per un'ora. Trascorso questo tempo, la vostra pallina sarà cresciuta di volume, più o meno raddoppiando. Se così non fosse, lasciatela lievitare ancora. Infarinate il piano di lavoro e la pallina, poi iniziate a stenderla con le mani. Passate quindi al matterello, cercando di formare un rettangolo e mantenendo uno spessore di circa 4-5 millimetri.

Mescolate lo zucchero con la cannella: questo sarà il semplicissimo ripieno dei vostri cinnamon rolls. Prima di spargerlo sul rettangolo di impasto, ungete leggermente tutta la superficie con l'olio di semi di girasole: in questo modo, il ripieno aderirà molto meglio. Ora po-

tete distribuirlo sulla superficie del rettangolo. Se ve ne avanza un pochino, nessun problema: tra poco vi svelerò come usarlo. Ora potete arrotolare il rettangolo: fatelo dal lato più lungo. Una volta ottenuto un rotolo, dividetelo in 12 dischi: io vi consiglio di tagliarlo prima in 4 parti uguali, e poi di dividere ciascuna parte in 3 fette.

Per cuocerli, vi consiglio di adagiarli in una teglia di media grandezza. Foderatela con carta da forno o ungetela; se prima vi è avanzato un po' di ripieno alla cannella, potete metterlo qui, sul fondo della teglia. Disponete tutti i cinnamon rolls al suo interno. Copriteli nuovamente, sempre con pellicola per alimenti, e lasciateli lievitare per altre 2-3 ore. Trascorso questo tempo, saranno ulteriormente cresciuti. Ora potete infornarli, preferibilmente coperti con alluminio per alimenti (serve a mantenerli più morbidi, ma se non l'avete, nessun problema), per mezz'ora in forno statico (già caldo) a 180 °C. Da cotti saranno soffici, dorati e profumatissimi. Se vi piace, terminate spolverando i cinnamon rolls con zucchero a velo.

conservazione Questi cinnamon rolls si conservano per 2-3 giorni in un contenitore ermetico e si possono anche congelare; dovranno poi essere lasciati scongelare a temperatura ambiente.

il consiglio in più Provate a farcire questo impasto, seguendo lo stesso procedimento, anche con altri sapori: per esempio cioccolato o la vostra marmellata preferita.

BISCOTTI NATALIZI
allo zenzero

- 200 g di farina 0 (o farina 1)
- 1 cucchiaino di lievito per dolci
- 1/2 cucchiaino di cannella
- 1 pizzico di sale

- 2 cucchiaini di zenzero grattugiato (o 1 cucchiaino di zenzero in polvere)
- 50 g di olio di semi di girasole
- 60 g di sciroppo d'acero (o altro dolcificante liquido)

Mescolate in una ciotola capiente farina, lievito, cannella e sale. Aggiungete lo zenzero grattugiato, l'olio di semi e lo sciroppo d'acero. Iniziate a impastare aggiungendo 2 cucchiai di acqua e lavorate finché il composto non risulterà liscio e omogeneo.

Stendetelo fino a raggiungere uno spessore di 3-4 millimetri.

Ricavate i biscotti con l'aiuto delle formine e stendeteli su una teglia coperta di carta da forno.

Fateli cuocere per circa 13-15 minuti nel forno statico a 180 °C.

conservazione
Questi biscotti si conservano per 3 settimane all'interno di un contenitore ermetico, meglio se piccolo. In alternativa si possono congelare; vanno poi lasciati scongelare naturalmente almeno mezz'ora prima del consumo.

BISCOTTI SENZA GLUTINE
con
fiocchi di avena,
frutta secca e semi

PER CIRCA 15 BISCOTTI
— 100 g di fiocchi di avena
— 50 g di farina di avena
— 30 g di fiocchi di cocco fini
— 1 cucchiaino raso di cannella
— 1/2 cucchiaino di sale
— 1 cucchiaino di lievito
— 65 g di latte di soia
— 2 cucchiai di semi di lino tritati
— 80 g di zucchero grezzo di canna
— 50 g di olio di cocco sciolto
— 100 g di frutta secca e semi a piacere

Mettete tutti gli ingredienti secchi in una ciotola: fiocchi di avena, farina di avena, fiocchi di cocco, cannella, lievito e sale. Mescolate tutto con una frusta, tenete da parte e prendete un'altra ciotola.

Unite i semi di lino tritati con il latte di soia e mescolate bene. Aggiungete l'olio di cocco e lo zucchero e mescolate finché non ci saranno più grumi. Ora versate i liquidi nella ciotola dei solidi,

mescolando bene finché il composto non risulterà uniforme. Unite la frutta secca e i semi che avete scelto (io ho usato mandorle, uva passa e semi di zucca). Dovreste ottenere un composto abbastanza asciutto ma comunque modellabile: se così non fosse, aggiungete della farina di avena.

Ricavate i biscotti schiacciando l'impasto tra i palmi e modellandolo. Non lieviterà molto, quindi potete anche creare dei biscotti spessi un centimetro. Cuoceteli in forno statico a 180 °C per 15 minuti. Una volta cotti, lasciateli raffreddare per qualche minuto e poi trasferiteli su una gratella per farli raffreddare completamente.

Questi biscotti sono pieni di nutrienti, contengono grassi buoni e poco zucchero, quindi sono perfetti per una colazione sana, magari insieme a un frutto e a una tazza di tè, oppure come snack tra un pasto e l'altro.

conservazione
Questi biscotti si conservano per 7-10 giorni
in un contenitore ermetico,
fino a 2 mesi in freezer.

torta SACHER

PER UNA TORTIERA
DA 22-23 CM DI DIAMETRO

PER LA TORTA
— 320 g di farina
— 50 g di cacao
— 150 g di zucchero
— 1 bustina di lievito per dolci (16 g)
— 1/2 stecca di vaniglia
  (o 1 cucchiaino di estratto di vaniglia)
— 400 g di latte di soia
  (o altra bevanda vegetale)
— 60 g di olio di semi di girasole
— 1 pizzico di sale

PER LA FARCITURA
— 250-300 g di confettura di albicocche

PER LA GLASSA AL CIOCCOLATO
— 150 g di cioccolato fondente al 70%
— 100 g di zucchero
— 125 g di acqua

Per preparare la torta, mescolate farina, cacao, zucchero, lievito, sale e vaniglia. Aggiungete poi il latte di soia e l'olio di semi di girasole, mescolando bene.

Versate il composto in una tortiera e cuocete la torta a 180 °C per 40-45 minuti. A fine cottura lasciatela raffreddare completamente.

Tagliatela quindi a metà e farcitela con la confettura di albicocche. Chiudetela e cospargete anche la superficie di confettura.

Sciogliete a bagnomaria gli ingredienti per la glassa; quando avrete ottenuto un composto omogeneo, versatelo sopra la torta, che avrete posto su una gratella per far colare il cioccolato in eccesso.

Lasciate riposare la torta per almeno un'ora in frigorifero.

"BISCOTTI"
istantanei
CON MANDORLE
E CIOCCOLATO SPEZIATO

PER 25 BISCOTTI
— 75 g di mandorle
— 30 g di cioccolato fondente al 70%
— 20 g di granella di pistacchi
— 1 puntina di estratto di vaniglia
— 1 puntina di cannella
— 1 puntina di peperoncino

Disponete le mandorle su un foglio di carta da forno o semplicemente su un piatto, cercando di formare dei fiori: utilizzate 5 mandorle per ogni fiore e disponetele a raggiera con le punte rivolte
verso il centro, molto ravvicinate.

Sciogliete il cioccolato in un pentolino, a bagnomaria. Quando
si sarà sciolto, aggiungete vaniglia, cannella e peperoncino. Se
non vi piace il cioccolato speziato, potete utilizzare semplicemente il cioccolato fondente senza aggiungere altro.

Aiutandovi con un cucchiaino, colate il cioccolato al centro di
ogni "fiore", facendone colare tanto quanto basta per coprire tutte le 5 punte delle mandorle. A questo punto spolverate i fiori con
la granella di pistacchi, proprio sopra il cioccolato ancora sciolto.
Lasciate raffreddare per qualche ora a temperatura ambiente o in
frigorifero.

conservazione Questi "biscotti" si conservano
molto a lungo: all'interno di un contenitore ermetico,
meglio se nel frigorifero, possono conservarsi
anche per un mese.

TIRAMISÙ

PER LA BASE
— 12-16 biscotti vegani
   dal sapore neutro
   (tipo Oro Saiwa)
— 4 tazzine di caffè

PER LA CREMA
— 150 g di anacardi ammollati
— 80 ml di latte vegetale
— 60 g di sciroppo d'acero
   (o 60 g di zucchero sciolto
   in 40 g di acqua)
— 1 puntina di estratto
   di vaniglia (facoltativo)
— 30 g di olio di semi
   di girasole (2 cucchiai)

Preparate il caffè: vi serviranno tante tazzine quante sono le porzioni di tiramisù che volete ottenere. Quindi, per 4 porzioni di tiramisù, dovrete preparare 4 tazzine di caffè.

Spezzettate i biscotti in 4 bicchierini, per creare lo strato di fondo dei tiramisù monoporzione. Per ogni bicchiere vi consiglio di utilizzare 3 o anche 4 biscotti, perché il fondo con il caffè è la parte che preferisco. Una volta spezzettati i biscotti, versate su di essi l'equivalente di una tazzina di caffè e schiacciateli bene verso il fondo aiutandovi con il dorso di un cucchiaio.

Preparate la crema. In un frullatore versate gli anacardi ammollati e poi scolati bene. Ammollare gli anacardi è davvero semplice: basta metterli in una ciotola piena d'acqua per almeno due ore e poi scolarli, ma se non avete tempo potete usare acqua bollente: in 10 minuti saranno diventati perfettamente morbidi. L'ammollo è molto importante perché vi permetterà di avere una crema morbida e liscia.

Ora aggiungete il latte vegetale che preferite: io ho usato il latte di soia, ma va benissimo anche un altro latte a vostra scelta. Unite poi lo sciroppo d'acero e infine l'olio di semi di girasole. Coprite e frullate il tutto. In pochissimo tempo otterrete una crema liscia e morbida, che forse al momento vi sembrerà troppo liquida, ma è normale: in frigorifero tenderà a solidificarsi e diventerà della consistenza perfetta. Ora versate la crema sopra i biscotti col caffè. Agitate leggermente i bicchierini per distribuire bene la crema, poi metteteli in frigorifero e, al momento di servirli, spolverateli con del cacao.

conservazione
Questo tiramisù dura fino a 2 giorni in frigorifero, coperto bene.
Non vi consiglio di congelarlo: la differenza con il tiramisù appena fatto si sente parecchio e, visto che è molto semplice da preparare, è meglio farlo al momento.

INDICE GENERALE

INDICE ALFABETICO delle RICETTE